Agatha Christie

O MISTÉRIO DO TREM AZUL

Tradução de Carlos André Moreira

www.lpm.com.br

L&PM POCKET

Coleção **L&PM** POCKET, vol. 765

Texto de acordo com a nova ortografia.

Título original: *The Mystery of the Blue Train*

Primeira edição na Coleção **L&PM** POCKET: abril de 2009
Esta reimpressão: janeiro de 2024

Tradução: Carlos André Moreira
Capa: designedbydavid.co.uk © HarperCollins/Agatha Christie Ltd 2008
Preparação: Bianca Pasqualini
Revisão: Patrícia Yurgel e Fernanda Lisbôa

CIP-Brasil. Catalogação na fonte
Sindicato Nacional dos Editores de Livros, RJ.

C479m

Christie, Agatha, 1890-1976
   O mistério do Trem Azul / Agatha Christie; tradução de Carlos André Moreira. – Porto Alegre, RS: L&PM, 2024.
   272p. : . – (Coleção L&PM POCKET; v.765)

   Tradução de: *The Mystery of the Blue Train*
   ISBN 978-85-254-1880-7

   1. Poirot (Personagem fictício). 2. Ficção policial inglesa. I. Moreira, Carlos André. II. Título. III. Série.

09-1243.	CDD: 823
	CDU: 821.111-3

The Agatha Christie Roundel Copyright © 2013 Agatha Christie Limited.
Used by permission. All rights reserved.
The Mystery of the Blue Train Copyright © 1928 Agatha Christie Limited.
All rights reserved.
AGATHA CHRISTIE, POIROT and the Agatha Christie Signature are registered trade marks of Agatha Christie Limited in the UK and elsewhere. All rights reserved.www.agathachristie.com

Todos os direitos desta edição reservados a L&PM Editores
Rua Comendador Coruja, 314, loja 9 – Floresta – 90.220-180
Porto Alegre – RS – Brasil / Fone: 51.3225.5777

Pedidos & Depto. Comercial: vendas@lpm.com.br
Fale conosco: info@lpm.com.br
www.lpm.com.br

Impresso no Brasil – verão 2024

Agatha Christie
(1890-1976)

Agatha Christie é a autora mais publicada de todos os tempos, superada apenas por Shakespeare e pela Bíblia. Em uma carreira que durou mais de cinquenta anos, escreveu 66 romances de mistério, 163 contos, dezenove peças, uma série de poemas, dois livros autobiográficos, além de seis romances sob o pseudônimo de Mary Westmacott. Dois dos personagens que criou, o engenhoso detetive belga Hercule Poirot e a irrepreensível e implacável Miss Jane Marple, tornaram-se mundialmente famosos. Os livros da autora venderam mais de dois bilhões de exemplares em inglês, e sua obra foi traduzida para mais de cinquenta línguas. Grande parte da sua produção literária foi adaptada com sucesso para o teatro, o cinema e a tevê. *A ratoeira*, de sua autoria, é a peça que ficou mais tempo em cartaz desde sua estreia, em Londres, em 1952. A autora colecionou diversos prêmios ainda em vida, e sua obra conquistou uma imensa legião de fãs. Ela foi a única escritora de mistério a alcançar fama internacional também como dramaturga e a primeira pessoa a ser homenageada com o Grandmaster Award, em 1954, concedido pela prestigiosa associação Mystery Writers of America. Em 1971, recebeu o título de Dama da Ordem do Império Britânico.

Agatha Mary Clarissa Miller nasceu em 15 de setembro de 1890 em Torquay, Inglaterra. Seu pai, Frederick, era um americano extrovertido que trabalhava como corretor da bolsa, e sua mãe, Clara, era uma inglesa tímida. Agatha, a caçula de três irmãos, estudou basicamente em casa, com tutores. Também teve aulas de canto e piano, mas devido ao temperamento introvertido não seguiu carreira artística. O pai de Agatha morreu quando ela tinha onze anos, o que a aproximou da mãe, com quem fez várias viagens. A paixão por conhecer o mundo acompanharia a escritora até o final da vida.

Em 1912, Agatha conheceu Archibald Christie, seu primeiro esposo, um aviador. Eles se casaram na véspera do Natal de 1914 e tiveram uma única filha, Rosalind, em 1919. A carreira literária de Agatha – uma fã dos livros de suspense do escritor inglês Graham Greene – começou depois que sua irmã a desafiou a escrever um romance. Passaram-se alguns anos até que o primeiro livro da escritora fosse publicado. *O misterioso caso de Styles* (1920), escrito próximo ao fim da Primeira Guerra Mundial, teve uma boa acolhida da crítica. Nesse romance aconteceu a primeira aparição de Hercule Poirot, o detetive que estava destinado a se tornar o personagem mais popular da ficção policial desde Sherlock Holmes. Protagonista de 33 romances e mais de cinquenta contos da autora, o detetive belga foi o único personagem a ter o obituário publicado pelo *The New York Times*.

Em 1926, dois acontecimentos marcaram a vida de Agatha Christie: a sua mãe morreu, e Archie a deixou por outra mulher. É dessa época também um dos fatos mais nebulosos da biografia da autora: logo depois da separação, ela ficou desaparecida durante onze dias. Entre as hipóteses figuram um surto de amnésia, um choque nervoso e até uma grande jogada publicitária. Também em 1926, a autora escreveu sua obra-prima, *O assassinato de Roger Ackroyd*. Esse foi seu primeiro livro a ser adaptado para o teatro – sob o nome *Álibi* – e a fazer um estrondoso sucesso nos teatros ingleses. Em 1927, Miss Marple estreou como personagem no conto "O Clube das Terças-Feiras".

Em uma de suas viagens ao Oriente Médio, Agatha conheceu o arqueólogo Max Mallowan, com quem se casou em 1930. A escritora passou a acompanhar o marido em expedições arqueológicas e nessas viagens colheu material para seus livros, muitas vezes ambientados em cenários exóticos. Após uma carreira de sucesso, Agatha Christie morreu em 12 de janeiro de 1976.

Aos dois
distintos membros
da OCF*
Carlotta e Peter

---

* OCF: Ordem dos Cães Fiéis (no original OFD: Order of Faithful Dogs), uma referência às únicas duas criaturas que, no entender de Agatha Christie, permaneceram leais a ela depois de seu misterioso desaparecimento por onze dias em 1926 e do decorrente divórcio em 1927. Carlotta era a babá da filha da escritora, Rosalind, e Peter, seu cão *terrier*. Os amigos que a abandonaram eram referidos, em oposição, como a Ordem dos Ratos. (N.T.)

Sumário

Capítulo 1 – O homem do cabelo branco 9
Capítulo 2 – O senhor Marquês 15
Capítulo 3 – Coração de Fogo 20
Capítulo 4 – Na Curzon Street 25
Capítulo 5 – Um cavalheiro útil 32
Capítulo 6 – Mirelle 42
Capítulo 7 – Cartas 49
Capítulo 8 – Lady Tamplin escreve uma carta 58
Capítulo 9 – Uma oferta recusada 66
Capítulo 10 – No Trem Azul 72
Capítulo 11 – Assassinato 84
Capítulo 12 – Na Villa Marguerite 96
Capítulo 13 – Van Aldin recebe um telegrama 104
Capítulo 14 – A história de Ada Mason 109
Capítulo 15 – O conde de la Roche 114
Capítulo 16 – Poirot discute o caso 121
Capítulo 17 – Um cavalheiro aristocrático 129
Capítulo 18 – Derek almoça 139
Capítulo 19 – Uma visitante inesperada 143
Capítulo 20 – Katherine faz um amigo 151
Capítulo 21 – No tênis 157
Capítulo 22 – O desjejum do sr. Papopolous 167
Capítulo 23 – Uma nova teoria 173
Capítulo 24 – Poirot dá um conselho 177
Capítulo 25 – Desafio 184
Capítulo 26 – Uma advertência 191

Capítulo 27 – Entrevista com Mirelle 199
Capítulo 28 – Poirot banca o esquilo 211
Capítulo 29 – Uma carta de casa 222
Capítulo 30 – A srta. Viner diz o que pensa 232
Capítulo 31 – O sr. Aarons almoça 240
Capítulo 32 – Katherine e Poirot comparam
impressões 244
Capítulo 33 – Uma nova teoria 250
Capítulo 34 – De volta ao Trem Azul 254
Capítulo 35 – Explicações 259
Capítulo 36 – À beira-mar 269

Capítulo I

O homem do cabelo branco

Era quase meia-noite quando um homem cruzou a Place de la Concorde. A despeito do vistoso casaco de pele que cobria sua ínfima silhueta, havia nele algo essencialmente débil e repugnante.

Um homenzinho com rosto de rato. Um homem, alguém poderia dizer, que jamais teria um papel de destaque, nem seria alçado à distinção em qualquer esfera. E contudo, ao chegar a tal conclusão, o observador estaria errado. Porque este homem, insignificante e banal como aparentava ser, desempenhava um papel proeminente no destino do mundo. Em um império governado por ratos, ele era o rei das ratazanas.

Naquele exato instante, uma embaixada esperava seu retorno. Mas ele tinha negócios a tratar primeiro – negócios sobre os quais a embaixada não fora oficialmente notificada. Seu rosto brilhava ao luar, branco e astuto. Havia uma leve curvatura no nariz fino. Seu pai havia sido um judeu polonês, um oficial-alfaiate. E a natureza do negócio que o levara a sair noite afora era do tipo que seu pai teria adorado.

Ele chegou ao Sena, atravessou-o e adentrou um dos quarteirões menos respeitáveis de Paris. Ali, deteve-se diante de um prédio alto e dilapidado e subiu até um apartamento no quarto andar. Mal teve tempo para bater antes que a porta fosse aberta por uma mulher que, era evidente, estivera aguardando sua chegada. Ela não o cumprimentou, mas ajudou-o a tirar o casaco e o fez ingressar em uma sala mobiliada de modo espalhafatoso. A luz elétrica estava encoberta por sujas grinaldas cor-de-rosa, que suavizavam, mas não conseguiam disfarçar, o rosto da garota, com uma maquiagem vulgar. Não conseguiam disfarçar também o grosseiro aspecto mongólico da fisionomia. Não havia dúvida sobre a profissão de Olga Demiroff, nem sobre a nacionalidade.

– Está tudo bem, querida?

– Tudo, Boris Ivanovich.

Ele balançou a cabeça, murmurando:

– Não creio que eu tenha sido seguido.

Mas havia ansiedade em sua voz. Foi até a janela, afastou de leve as cortinas e olhou para fora com cuidado. Afastou-se com violência.

– Há dois homens na calçada oposta. Parece...

Ele silenciou e começou a roer as unhas – um hábito que tinha quando estava ansioso.

A garota russa estava balançando a cabeça em um gesto lento, tranquilizador.

– Eles estavam aqui antes de você chegar.

– Não importa, parece que estão vigiando o prédio.

– É possível – ela admitiu, com indiferença.

– Mas então...

– Que importa? Mesmo que *saibam*... não será a *você* que seguirão depois daqui.

Um sorriso fino, cruel, aflorou aos lábios do homem.

– Não – admitiu –, isso é verdade.

Refletiu por um momento e comentou:

– Esse americano maldito sabe cuidar de si mesmo tão bem quanto qualquer outro.

– Assim suponho.

Ele foi outra vez à janela.

– São osso duro – murmurou, casquinando. – Conhecidos da polícia, acredito. Bem, bem, desejo uma boa caçada ao Irmão Apache.

Olga Demiroff balançou a cabeça.

– Se o americano é o tipo de homem que eles dizem que é, vai ser preciso mais do que uma dupla de *apaches**

---

* *Apache*: marginal da ralé parisiense. (N.T.)

covardes para levar a melhor sobre ele. – Ela fez uma pausa. – Imagino...

– Então?

– Nada. Mas duas vezes agora à noite um homem passou por esta rua. Um homem de cabelos brancos.

– E daí?

– Daí que, enquanto passava por aqueles dois, ele deixou cair sua luva. Um deles pegou-a e devolveu-a. Um truque batido.

– Quer dizer que o homem de cabelo branco é... o chefe?

– Algo do tipo.

O russo pareceu alarmado e inquieto.

– Tem certeza de que o pacote está a salvo? Não foi adulterado? Tem havido muita conversa... conversa demais.

Ele voltou a roer as unhas.

– Julgue por você mesmo.

Ela se curvou em frente à lareira, removendo com destreza os pedaços de carvão. Debaixo, dentre bolas amarrotadas de jornal, selecionou um pacote oblongo embrulhado em jornal encardido e entregou-o ao homem.

– Engenhoso – ele disse, balançando a cabeça em aprovação.

– O apartamento foi revistado duas vezes. O colchão da minha cama foi rasgado.

– É como eu disse – ele murmurou –: tem havido muita conversa. Isso de regatear o preço... foi um erro.

Ele havia desenrolado o jornal. Dentro estava um pequeno embrulho de papel pardo, que ele também desembalou, verificou o conteúdo e rapidamente embrulhou outra vez. Enquanto fazia isso, uma campainha soou fortemente.

– O americano é pontual – disse Olga, ao olhar para o relógio.

Ela deixou a sala. Voltou em um minuto, escoltando um estranho, um homem grande, de ombros largos, cuja origem transatlântica era evidente. Seu olhar aguçado vagou de um para outro.

– Monsieur Krassnine? – ele inquiriu, polidamente.

– Sou eu – disse Boris. – Devo desculpas por... pela informalidade deste ponto de encontro. Mas o sigilo é indispensável. Eu... eu não posso me dar ao luxo de ser ligado a este negócio de maneira alguma.

– E então? – disse, de modo polido, o americano.

– Tenho sua palavra, não é verdade, de que nenhum detalhe desta transação será tornado público? Essa é uma das condições da... venda.

O americano assentiu.

– Isso já foi acertado – disse, em tom indiferente. – Agora, talvez, queira me mostrar a mercadoria.

– O senhor tem o dinheiro, em notas?

– Sim – respondeu o outro.

Não mostrou, contudo, nenhuma intenção de apresentar o dinheiro. Após um momento de hesitação, Krassnine indicou o pequeno embrulho sobre a mesa.

O americano o pegou e desembrulhou. Levou o conteúdo até uma pequena lâmpada elétrica e submeteu-o a um exame completo. Satisfeito, sacou do bolso uma grossa carteira de couro, extraiu dali um maço de notas e as entregou para o russo, que as contou cuidadosamente.

– Tudo certo?

– Eu lhe agradeço, monsieur. Tudo certo.

– Ah! – disse o outro. Escorregou o embrulho de papel pardo com negligência para dentro do bolso e se inclinou em uma mesura para Olga. – Boa noite, mademoiselle. Boa noite, monsieur Krassnine.

Saiu, fechando a porta atrás de si. Os olhos dos outros dois se encontraram. O homem passou a língua sobre os lábios ressecados.

— Eu me pergunto se ele conseguirá voltar ao seu hotel — murmurou.

De comum acordo, ambos se viraram para a janela. Bem a tempo de ver o americano emergir na rua abaixo. Dobrou à esquerda e marchou a passo rápido sem virar a cabeça uma única vez. Duas sombras deslizaram de um vão de entrada e o seguiram silenciosamente. Perseguidores e perseguido desapareceram noite adentro. Olga Demiroff falou:

— Ele vai voltar em segurança — ela disse. — Você não precisa ter medo... ou esperança... tanto faz.

— Por que acha que ele vai estar a salvo? — perguntou Krassnine, curioso.

— Um homem que fez tanto dinheiro quanto ele não deve ser um tolo — disse Olga. — E por falar em dinheiro...

Ela olhou para Krassnine.

— O quê?

— Minha parte, Boris Ivanovich.

Com alguma relutância, Krassnine estendeu-lhe duas notas. Ela sacudiu a cabeça em agradecimento, com uma completa ausência de emoção, e enfiou o dinheiro nas meias.

— É o suficiente — observou, satisfeita.

Ele a olhou com curiosidade.

— Você não se arrepende, Olga Vassilovna?

— Arrepender-me do quê?

— Aquilo que você estava guardando. Há mulheres... a maioria delas, eu acho, que ficariam malucas por tais coisas.

Ela balançou a cabeça:

— Sim, é verdade. A maioria das mulheres ficaria maluca. Mas eu não. Eu acho... — ela se interrompeu.

— Sim? — perguntou o outro, curioso.

— O americano estará seguro com elas... Sim, estou certa disso. Mas depois...

— O quê? Em que está pensando?

– Ele vai dá-las, é claro, para alguma mulher – disse Olga, pensativa –, e imagino o que vai acontecer então...

Ela deu de ombros, impaciente, e foi até a janela. Súbito, emitiu uma exclamação e chamou Bons.

– Veja, está descendo a rua agora... O homem que mencionei.

Ambos olharam para baixo. Uma figura esguia, elegante, avançava ao longo da rua com um passo vagaroso. Trajava uma cartola e uma capa. Quando passou por um lampião, a luz iluminou uma mecha de espessos cabelos brancos.

Capítulo 2

O senhor Marquês

O homem de cabelos brancos continuou seu caminho, despreocupado, parecendo indiferente a tudo. Tomou uma transversal para a direita e outra para a esquerda. De vez em quando, cantarolava.

De repente, estacou e pôs-se a ouvir com atenção. Havia escutado um som indefinido. Poderia ser o estouro de um pneu – ou um tiro. Um sorriso curioso oscilou em volta de seus lábios por um momento. Então, retomou sua caminhada despreocupada.

Ao virar uma esquina, encontrou um pequeno tumulto. Um policial tomava notas em uma caderneta de bolso, e alguns passantes tardios haviam se reunido no local. Foi a um deles que o homem de cabelos brancos gentilmente pediu informações.

– Aconteceu alguma coisa?

– *Mais oui*, monsieur. Dois criminosos atacaram um idoso, um cavalheiro americano.

– E não o feriram?

– Na verdade, não – o homem riu. – O americano tinha um revólver no bolso e, antes que pudessem atacá-lo, desferiu tiros tão próximos que os malandros se apavoraram e fugiram. A polícia, como sempre, chegou tarde demais.

– Ah – disse o homem de cabelos brancos, sem demonstrar emoção nenhuma.

Plácido e despreocupado, retomou seu passeio noturno e, logo depois, cruzava o Sena e entrava nas áreas ricas da cidade. Vinte minutos mais tarde, parou em frente a uma certa casa em uma via tranquila e aristocrática.

A loja – tratava-se de uma loja – era sóbria e despretensiosa. D. Papopolous, negociante de antiguidades, era tão conhecido por sua reputação que não necessitava de publicidade, e, de fato, a maioria dos seus negócios não era feita no balcão. Monsieur Papopolous tinha um apartamento muito bonito com vista para a Champs Elysées, e seria razoável supor que ele seria encontrado lá, e não em seu estabelecimento àquela hora, mas o homem de cabelos brancos parecia confiante no sucesso enquanto pressionava a campainha praticamente oculta, tendo primeiro dado uma rápida olhada para os dois lados da rua deserta. Tal confiança não foi despropositada. A porta se abriu e um homem postou-se na abertura. Tinha um tom de pele trigueiro e usava brincos de ouro nas orelhas.

– Boa noite – disse o estranho –, seu patrão está?

– O patrão está, mas não costuma atender a visitas inesperadas a esta hora da noite – resmungou o outro.

– Acho que ele vai me atender. Diga-lhe que seu amigo, o Marquês, está aqui.

O homem abriu a porta um pouco mais e permitiu que o visitante entrasse.

Aquele que se apresentara como Marquês protegera o rosto com a mão enquanto falava. Quando o empregado voltou com a informação de que monsieur Papopolous teria satisfação em recebê-lo, uma mudança adicional havia se processado na aparência do estranho. O criado devia ser um péssimo observador ou muito bem treinado, porque não demonstrou nenhuma surpresa com relação à pequena máscara de cetim preto que ocultava as feições do outro. Conduzindo-se até uma porta no fim do salão, abriu-a e anunciou em um murmúrio respeitoso: "o senhor Marquês".

A figura que se ergueu para receber o estranho convidado era imponente. Havia algo de venerável e patriarcal em monsieur Papopolous. Tinha a fronte alta e arredondada e uma bela barba branca. Suas maneiras tinham algo de eclesiásticas e benignas.

– Meu caro amigo! – disse Papopolous.

Falou em francês, e seu timbre era profundo e untuoso.

– Devo desculpas – disse o visitante – por aparecer tão tarde.

– Não, de forma alguma. De todo jeito – emendou Papopolous –, não é uma hora interessante da noite. Quem sabe você tenha tido uma noite interessante?

– Não pessoalmente.

– Não pessoalmente – repetiu o sr. Papopolous –. Não, não, claro que não. Novidades, então? – disse, e lançou um olhar vivo e enviesado para o outro, um lampejo de algo que não era nem eclesiástico nem benigno.

– Não há novidades. O atentado falhou. E eu não esperava outra coisa.

– Evidentemente – acrescentou o sr. Papopolous –, algo tão rude...

Acenou com a mão para expressar seu intenso desagrado por qualquer espécie de rudeza. Não havia, de fato, nada de rude em monsieur Papopolous nem nas mercadorias que negociava. Era bem conhecido na maioria das cortes europeias, e reis chamavam-no, de maneira amistosa, de Demetrius. Tinha uma reputação de requintada discrição. O que, somado seu aspecto nobre, o ajudara a efetuar muitas transações questionáveis.

– O ataque direto – disse Papopolous, sacudindo a cabeça – às vezes dá resultado... mas muito raramente.

O outro encolheu os ombros.

– Poupa tempo – observou –, e o fracasso não custa nada. Ou quase nada. O outro plano não vai falhar.

– Oh – disse o sr. Papopolous, olhando com atenção.

O outro balançou a cabeça devagar.

– Tenho grande confiança em sua... bem... reputação – comentou o negociante de antiguidades.

O sr. Marquês sorriu com gentileza e murmurou:

– Acho que posso dizer que sua confiança não será desperdiçada.

– Tem oportunidades únicas – falou o outro, com um toque de inveja na voz.

– Eu as crio – disse o sr. Marquês.

Ele se levantou e apanhou a capa que havia jogado no encosto de uma cadeira.

– Eu o manterei informado pelos canais de sempre, sr. Papopolous, mas não deve surgir nenhum empecilho para os seus planos.

– *Nunca* há empecilhos para os meus planos – reclamou o sr. Papopolous, ofendido.

O outro sorriu e, sem dizer adeus, deixou o quarto, fechando a porta atrás de si.

O sr. Papopolous permaneceu pensativo por um momento, acariciando suas veneráveis barbas brancas, e depois se dirigiu até uma porta de comunicação que abria para dentro. Quando girou a maçaneta, uma jovem, que, sem dúvida, estivera com o ouvido encostado no buraco da fechadura, tropeçou atabalhoada para dentro do quarto. Papopolous não demonstrou surpresa ou interesse. Era evidente que a cena era natural para ele.

– Sim, Zia? – perguntou.

– Eu não o ouvi sair – explicou Zia.

Era uma jovem linda, de fisionomia imponente, com rutilantes olhos escuros e uma aparência geral semelhante à do senhor Papopolous. Era fácil ver que eram pai e filha.

– É muito irritante – ela continuou, aborrecida – não poder espiar pela fechadura e ouvir através dela ao mesmo tempo.

– Isso me irrita com frequência – disse Papopolous, com simplicidade.

– Então aquele é o senhor Marquês – disse Zia, devagar. – Ele sempre usa máscara, pai?

– Sempre.

Houve uma pausa.

– São os rubis, eu suponho? – indagou Zia.

O pai balançou a cabeça em concordância.

– E o que você acha, meu bem? – ele inquiriu, com um ar divertido em seus olhos negros como contas.

– Do sr. Marquês?

– Sim.

– Acho – disse Zia lentamente – que é muito raro encontrar um inglês educado que fale francês tão bem.

– Ah – exclamou o sr. Papopolous –, então é isso o que você acha.

Como de hábito, não se comprometeu, mas contemplou Zia com gentil aprovação.

– Acho também – disse Zia – que a cabeça dele tem um formato esquisito.

– Maciça – emendou o pai –, um tanto maciça. Contudo, uma peruca sempre cria tal efeito.

Ambos se entreolharam e sorriram.

Capítulo 3

Coração de Fogo

Rufus van Aldin passou pelas portas giratórias do Savoy e caminhou até a recepção. O recepcionista sorriu em uma saudação respeitosa.

– Prazer em revê-lo, senhor Van Aldin.

O milionário americano meneou a cabeça em um cumprimento casual e perguntou:

– Tudo certo?

– Sim, senhor. O major Knighton está na suíte neste momento.

Van Aldin acenou outra vez com a cabeça.

– Alguma correspondência?

– Já foram todas remetidas lá para cima, sr. Van Aldin. Oh! Espere um minuto.

Ele levou a mão a um escaninho e de lá retirou uma carta.

Rufus van Aldin tomou a carta e, ao ver a caligrafia harmoniosa de uma mão feminina, seu rosto transformou-se de súbito. Os contornos severos suavizaram-se, e a linha rígida da boca relaxou. Ele parecia um homem diferente. Caminhou até o elevador com a carta na mão e o sorriso ainda em seus lábios.

Na sala de visitas de sua suíte, um jovem estava sentado a uma escrivaninha, separando agilmente a correspondência com a naturalidade advinda da longa prática. Ergueu-se de um salto assim que Van Aldin entrou.

– Olá, Knighton!

– Estou feliz em vê-lo de volta, senhor. Divertiu-se?

– Mais ou menos – disse o milionário, sem entusiasmo. – Paris virou uma cidadezinha um tanto tediosa hoje em dia. Ainda assim, consegui o que fui buscar – riu consigo mesmo, com ironia.

– Como sempre, creio eu – disse o secretário, sorridente.

– Assim é – concordou o outro.

Falava de modo trivial, como alguém expondo um fato bem conhecido. Avançou até a escrivaninha, despindo o pesado sobretudo.

– Algo urgente?

– Acho que não, senhor. A maioria é o de sempre. Ainda não terminei de pôr tudo em ordem.

Van Aldin anuiu. Era um homem que raramente expressava censuras ou elogios. Seu procedimento com aqueles a quem empregava era simples: dava-lhes um período justo de experiência e demitia prontamente os que fossem ineficientes. Seus métodos de seleção de pessoal não eram convencionais. Ele havia conhecido Knighton, por exemplo, ao acaso, dois meses antes, em uma colônia de repouso suíça. Havia simpatizado com ele, examinado seu registro militar e encontrado ali a explicação para o coxear do outro. Knighton não havia feito segredo sobre o fato de estar procurando emprego, e até havia perguntado timidamente ao milionário se sabia de alguma colocação disponível. Van Aldin recordou, com um sorriso irônico, o ar de completa perplexidade do jovem quando lhe foi oferecido o posto de secretário.

– Mas... Mas eu não tenho experiência em negócios – ele balbuciara.

– Isso é indiferente para mim – retrucara Van Aldin. – Tenho três secretários para cuidar desse tipo de coisa. Mas é provável que eu passe os próximos seis meses na Inglaterra, e quero um inglês que... bem, que esteja a par das coisas... e que possa cuidar da parte social.

Até agora, as impressões de Van Aldin pareciam corretas. Knighton havia provado ser rápido, inteligente e desembaraçado, além de ter modos encantadores e sofisticados.

O secretário indicou três ou quatro cartas separadas sobre a escrivaninha.

– Talvez fosse melhor o senhor dar uma olhada nestas – ele sugeriu. – A de cima é sobre o contrato Colton...

Rufus van Aldin ergueu a mão em protesto.

– Não vou olhar coisa nenhuma esta noite – declarou. – Todas podem esperar até amanhã. Exceto esta – ele acrescentou, baixando os olhos para a carta que ainda segurava em suas mãos. E outra vez aquele estranho sorriso transformador cruzou por sua face.

Richard Knighton sorriu com simpatia.

– A sra. Kettering? Ela telefonou ontem e hoje. Parece muito ansiosa em vê-lo, senhor.

– É mesmo?

O sorriso desapareceu do rosto do milionário. Ele abriu o envelope que tinha em mãos e retirou a carta. Enquanto lia, sua face se tornava sombria, a boca reassumia a linha inflexível que Wall Street conhecia tão bem e a testa franzia-se de modo funesto. Knighton, com tato, virou-se e continuou a abrir cartas e a ordená-las. Um resmungo escapou dos lábios do milionário, e seu punho cerrado golpeou a mesa com rispidez.

– Eu não vou tolerar isso – murmurou para si mesmo. – Pobre garota. Ainda bem que tem o apoio de seu velho pai.

Andou para cima e para baixo por alguns minutos, suas sobrancelhas unidas em uma carranca. Knighton ainda estava inclinado zelosamente sobre a escrivaninha. Súbito, Van Aldin estacou de modo abrupto e pegou seu sobretudo da cadeira em que o havia largado.

– Vai sair novamente, senhor?

– Sim, estou indo ver minha filha.

– Se o pessoal de Colton telefonar...?

– Diga-lhes que vão para o diabo – disse Van Aldin.

– Muito bem – respondeu o secretário, sem alarme.

Agora Van Aldin já havia vestido o sobretudo. Enterrando o chapéu na cabeça, dirigiu-se até a porta e deteve-se com a mão sobre a maçaneta.

– Você é um bom sujeito, Knighton, não me importuna quando estou irritado.

Knighton sorriu, mas não respondeu.

– Ruth é minha única filha – disse Van Aldin –, e não há ninguém sobre a Terra que saiba o quanto ela significa para mim.

Um débil sorriso irradiou-se por sua face. O milionário meteu a mão no bolso.

– Quer ver uma coisa, Knighton?

Ele voltou até o secretário. Do bolso, sacou um pacote enrolado de forma descuidada em papel pardo. Desfez o embrulho e revelou um grande e surrado estojo de veludo vermelho, em cujo centro havia algumas iniciais entrelaçadas, encimadas por uma coroa. Abriu a caixa, e o secretário suspendeu a respiração. Contra o branco levemente encardido do interior, as pedras cintilavam como sangue.

– Meu Deus, senhor! – disse Knighton – Elas... Elas são reais?

Van Aldin soltou um riso curto e estridente.

– Não me admira que esteja perguntando isso. Dentre estes rubis encontram-se os três maiores do gênero no mundo. Catarina da Rússia os usou, Knighton. Este aqui no centro é conhecido como "Coração de Fogo". É perfeito, não há falha alguma nele.

– Mas... – o secretário murmurou – devem valer uma fortuna.

– Quatrocentos ou quinhentos mil dólares – comentou Van Aldin, com desinteresse –, e isso sem contar o valor histórico.

– E o senhor os carrega por aí... assim, no bolso?

Van Aldin riu, divertido.

– E adivinhe. Eles são meu presentinho para Ruthie.

O secretário sorriu discretamente e comentou.

– Posso entender agora a ansiedade da sra. Kettering ao telefone.

Mas Van Aldin sacudiu a cabeça. O olhar duro voltou à sua face.

– Você está errado. Ela não sabe sobre eles, são minha surpresa para ela.

Fechou o estojo e começou a embrulhá-lo de novo, vagarosamente.

– É difícil, Knighton, perceber o quão pouco alguém pode fazer por aqueles que ama. Eu posso comprar um bom pedaço da Terra para Ruth, se lhe for útil de alguma forma, mas não é. Eu posso pendurar estas coisas ao redor de seu pescoço e dar a ela um momento ou dois de prazer, talvez, mas...

Ele abanou a cabeça.

– ...mas quando uma mulher não é feliz em seu lar...

Deixou a frase incompleta. O secretário anuiu de modo discreto. Conhecia, melhor do que ninguém, a reputação do honorável Derek Ketttering. Van Aldin suspirou. Colocou o embrulho de volta no bolso do casaco, dirigiu a Knighton um aceno e deixou a sala.

Capítulo 4

Na Curzon Street

A honorável sra. Derek Kettering morava na Curzon Street. O mordomo que abriu a porta reconheceu Rufus van Aldin e permitiu-se um discreto sorriso de boas-vindas. Ele seguiu pelas escadas até o grande salão duplo no primeiro andar.

Uma mulher que estava sentada à janela ergueu-se com um grito.

– Papai! Se isto não é maravilhoso! Telefonei o dia todo para o major Knighton para tentar chegar ao senhor, mas ele não sabia dizer com certeza para quando seu regresso era esperado.

Ruth Kettering tinha 28 anos. Sem ser linda ou mesmo bonita no sentido estrito da palavra, era uma visão impressionante devido à cor de seus cabelos. Em seu tempo, Van Aldin fora chamado de Cenoura ou Ruivo, e o cabelo de Ruth era de um ruivo quase puro. Com ele vinham um par de olhos negros e cílios muito pretos – o efeito realçado pelos artifícios da maquiagem. Era alta e esbelta, e se movimentava com graça. A um olhar descuidado, seu rosto parecia o de uma Madona de Rafael. Apenas quem reparasse mais detidamente perceberia a linha do maxilar de Van Aldin, que evidenciava a mesma dureza e determinação dele – caía bem em um homem, mas em uma mulher parecia menos adequada. Desde a infância, Ruth van Aldin havia se acostumado a fazer as coisas de seu jeito, e qualquer um que a contrariasse logo perceberia que a filha de Rufus van Aldin nunca cedia.

– Knighton disse que você telefonou – falou Van Aldin. – Eu cheguei de Paris há apenas meia hora. Qual é a questão com Derek?

Ruth Kettering enrubesceu de cólera.

– É indescritível. Está além de todos os limites. Ele... Ele parece não ouvir nada do que eu digo – ela bradou, e havia espanto e fúria em sua voz.

– A mim ele ouvirá – disse o milionário, severo.

Ruth continuou:

– Eu mal o vi no último mês. E ele transita por toda parte com aquela mulher.

– Que mulher?

– Mirelle. Dança no Parthenon, o senhor sabe.

Van Aldin fez que sim com a cabeça.

– Estive em Leconbury na semana passada. Eu... Eu falei com lorde Leconbury. Foi muitíssimo atencioso comigo, mostrou total empatia. E disse que teria uma boa conversa com Derek.

– Ah! – exclamou Van Aldin.

– O que o senhor quer dizer com "ah", papai?

– Exatamente o que você acha que eu quero dizer, Ruthie. O pobre Leconbury está ultrapassado. É claro que ele demonstrou empatia e tentou acalmá-la. Tendo casado seu filho e herdeiro com a filha de um dos homens mais ricos dos Estados Unidos, é natural que não queira estragar tudo. Mas ele já está com um pé na cova, todos sabem disso, e qualquer coisa que possa dizer causará bem pouco efeito em Derek.

– E *o senhor* não pode fazer nada, papai? – insistiu Ruth, depois de algum tempo.

– Posso – disse o milionário.

Ele esperou um momento, pensativo, e então continuou:

– Há muitas coisas que eu posso fazer, mas apenas uma seria realmente boa. Quão corajosa é você, Ruthie?

Ela o encarou e ele meneou a cabeça em resposta.

– Foi exatamente o que eu disse. Você tem fibra para admitir abertamente que cometeu um erro? Há apenas uma forma de sair desta embrulhada, Ruthie. Separar-se e começar de novo.

– O senhor quer dizer...?
– Divórcio.
– Divórcio!
Van Aldin deu um sorriso sem vida.
– Você fala como se nunca tivesse ouvido essa palavra antes, Ruth. E como se seus amigos não estivessem fazendo o mesmo à sua volta todos os dias.
– Oh, eu sei disso. Mas...
Ela se deteve, mordendo o lábio. O pai balançou a cabeça de modo compreensivo.
– Eu sei, Ruth. Você é como eu, não consegue tolerar a ideia de abrir mão de algo. Mas eu aprendi, e você também aprenderá, que há momentos em que esse é o único caminho. Posso encontrar modos de forçar Derek a voltar para você, mas tudo acabaria na mesma no fim das contas. *Ele não vale nada*, Ruth; é podre até a alma. E saiba que culpo a mim mesmo por ter permitido que se casasse com ele. Mas você estava tão obstinada, e ele parecia de fato disposto a virar a página e recomeçar... e, bem... eu já havia me oposto a você uma vez, querida.
Ele não olhou para ela enquanto dizia as últimas palavras. Se tivesse encarado, teria visto o rubor que imediatamente aflorou ao rosto da moça.
– Sim, havia – ela repetiu, em um tom de voz duro.
– Fui um coração mole e não a contrariei uma segunda vez. Entretanto, não posso dizer o quanto gostaria de tê-lo feito. Você tem levado uma vida infeliz nos últimos anos, Ruth.
– Não tem sido muito... agradável – concordou a sra. Kettering.
– Por isso estou dizendo que essa situação precisa *acabar*! – ele desceu a mão sobre a mesa com um estrondo. – É possível que você ainda tenha algum desejo por aquele camarada. *Desista*. Encare os fatos. Derek Kettering casou-se com você pelo dinheiro, e isso é tudo. Livre-se dele, Ruth.

Ruth Kettering baixou o olhar até o chão e assim ficou por alguns momentos. Até que falou, sem elevar a cabeça:

– E supondo que ele não consinta?

Van Aldin olhou-a com espanto.

– Ele não tem direito a opinião neste assunto.

Ela corou e mordeu o lábio.

– Não... Não... Claro que não. Eu apenas quis dizer... Parou. Seu pai olhou-a fixamente.

– O quê?

– Quis dizer – ela fez uma pausa, escolhendo as palavras com cuidado – que ele pode não aceitar sem protesto.

O queixo do milionário se projetou, severo.

– Quer dizer que ele pode entrar em litígio? Deixe-o. Mas, a propósito, está errada. Ele não vai contestar. Qualquer advogado que consultar vai dizer a ele que o caso não tem base alguma.

– O senhor não acha... – ela hesitou – quer dizer... que por rancor contra mim ele possa querer, bem, tornar as coisas mais desagradáveis?

Outra vez seu pai olhou-a com assombro.

– Entrar em litígio, você quer dizer?

Ele acenou com a cabeça em negação.

– Muito improvável. Veja, minha filha, ele ainda precisaria ter algo em que se basear.

A senhora Kettering não respondeu. Van Aldin lançou-lhe um olhar agudo.

– Vamos, Ruth, ponha para fora. Há alguma coisa perturbando você. O que é?

– Nada, nada mesmo.

O tom de sua voz não era convincente.

– Você teme o escândalo, não é? É isso? Deixe comigo. Vou lidar com a coisa toda com tanta serenidade que não haverá absolutamente nenhum alvoroço.

– Muito bem, papai, se o senhor acha mesmo que é a melhor coisa a ser feita.

— Você ainda tem uma queda por esse sujeito, Ruth? É isso?

— Não.

A palavra veio sem nenhum toque de incerteza. Van Aldin pareceu satisfeito. Deu um tapinha no ombro da filha.

— Vai ficar tudo bem, querida. Não se preocupe mais. Agora, vamos esquecer tudo isso. Trouxe um presente de Paris para você.

— Para mim? Algo bonito?

— Espero que sim — disse Van Aldin, sorrindo.

Tirou o embrulho do bolso do casaco e o estendeu para ela, que o desembrulhou com ansiedade e destravou o estojo. Um "oh!" prolongado saiu de seus lábios. Ruth Kettering amava joias. Sempre havia amado.

— Papai... que maravilha!

— São especiais, não são? — disse o milionário com satisfação. — Gostou deles?

— Se eu gostei? Papai, eles são extraordinários. Como os conseguiu?

Van Aldin sorriu.

— Ah, é o meu segredo. Tive de comprá-los em sigilo, é claro, são muito conhecidos. Vê aquela pedra grande no meio? Você talvez já tenha ouvido falar dela. É o histórico "Coração de Fogo".

— "Coração de Fogo"! — repetiu a sra. Kettering.

Ela estava tirando as pedras do estojo e segurando-as contra o busto. O milionário assistia. Pensava na série de mulheres que haviam usado aquelas joias. As angústias, os desesperos, os ciúmes. O "Coração de Fogo", como todas as pedras preciosas afamadas, havia deixado atrás de si uma trilha de tragédia e violência. Na mão segura de Ruth Kettering, parecia perder qualquer força maligna. Com sua postura calma e equilibrada, essa mulher do Ocidente parecia a antítese da tragédia e da paixão. Ruth devolveu as pedras ao estojo e, com um pulo, lançou seus braços ao pescoço do pai.

– Obrigada, obrigada, obrigada, papai. Eles são lindos! Sempre me dá os mais maravilhosos presentes.

– Está tudo bem – disse Van Aldin, dando tapinhas em seus ombros. – Você é tudo o que eu tenho, você sabe, Ruthie.

– Vai ficar para o jantar, não vai, pai?

– Acho que não. Você não estava saindo?

– Sim, mas eu posso cancelar facilmente. Não é nada muito empolgante.

– Não – contestou Van Aldin. – Mantenha seu compromisso. Eu tenho de tratar de um grande negócio. Vejo você amanhã, minha querida. Se eu ligar, talvez possamos nos encontrar nos Galbraiths?

Os senhores Galbraith, Galbraith, Cuthbertson & Galbraith eram os advogados de Van Aldin em Londres.

– Muito bem, papai – ela hesitou – Suponho que isso... não vai me impedir de viajar para a Riviera.

– Quando você parte?

– No dia 14.

– Oh, vai ficar tudo bem. Estas coisas levam um bom tempo para amadurecer. A propósito, Ruth, eu não viajaria com esses rubis se fosse você. Deixe-os no banco.

A sra. Kettering balançou a cabeça.

– Não queremos que você seja roubada ou assassinada por causa do "Coração de Fogo", – disse o milionário em tom jocoso.

– E ainda assim você os carregava no bolso do seu casaco – retorquiu sua filha, sorrindo.

– Sim...

Uma hesitação da parte dele capturou a atenção dela.

– O que foi, papai?

– Nada – ele sorriu. – Estava pensando em uma pequena aventura em Paris.

– Uma aventura?

– Sim, na noite em que comprei os rubis – disse, fazendo um gesto para o estojo das joias.

– Oh, conte-me, por favor.

– Não há nada a contar, Ruthie. Alguns bandidos tiveram um certo atrevimento, atirei neles e eles fugiram. Isso é tudo.

Ela o olhou com uma ponta de orgulho:

– Você é um sujeito durão, papai.

– Pode apostar que sou, Ruthie.

Ele beijou-a afetuosamente e partiu.

Ao chegar ao Savoy, deu uma ordem breve para Knighton.

– Traga-me um homem chamado Goby; vai encontrar o endereço na minha agenda. Ele deve estar aqui amanhã às nove e meia da manhã.

– Sim, senhor.

– Também quero ver o sr. Kettering. Encontre-o onde quer que esteja, se puder. Tente achá-lo no clube... De qualquer forma, arranje para que eu o veja aqui amanhã de manhã. Melhor que seja mais para o fim da manhã, por volta do meio-dia. Ele não é do tipo que acorda cedo.

O secretário acenou com a cabeça em compreensão às instruções. Van Aldin entregou-se aos cuidados de seu criado. O banho já estava pronto, e enquanto se deitava de maneira luxuriante na água quente, sua mente voltava à conversa que tivera com a filha. No fim das contas, estava bastante satisfeito. Sua mente aguçada já há muito havia aceitado o fato de que o divórcio era a única saída. Ruth havia concordado com a solução proposta mais prontamente do que havia esperado. Contudo, a despeito da aquiescência dela, ainda mantinha uma vaga inquietação. Sentira que ela não havia agido de modo completamente natural. Franziu a testa e murmurou:

– Talvez eu esteja imaginando coisas... E ainda assim... seria capaz de apostar que há algo que ela não me contou.

Capítulo 5

Um cavalheiro útil

Rufus van Aldin havia recém terminado o frugal desjejum de café e torradas, tudo o que sempre se permitira àquela hora, quando Knighton entrou no quarto.

– O sr. Goby* está lá embaixo esperando para vê-lo.

O milionário lançou um olhar para o relógio. Eram nove e meia em ponto.

– Certo – disse brevemente. – Pode mandar subir.

Um minuto ou dois mais tarde, o sr. Goby entrou na sala. Era um homem idoso e pequeno, vestido de forma miserável, com olhos que vasculhavam tudo em volta com cuidado, mas nunca se dirigiam à pessoa com quem falava.

– Bom dia, Goby – disse o milionário. – Puxe uma cadeira.

– Obrigado, sr. Van Aldin.

O sr. Goby sentou-se com as mãos nos joelhos, olhando com gravidade para o aquecedor.

– Tenho um trabalho para você.

– Sim, sr. Van Aldin?

– Minha filha é casada com o honorável Derek Kettering, como você talvez saiba.

O sr. Goby transferiu o olhar do aquecedor para a gaveta da esquerda da escrivaninha e permitiu que um sorriso depreciativo cruzasse seu rosto. Sabia de um grande número de coisas, mas odiava admitir isso.

– A meu conselho, ela está prestes a impetrar uma petição de divórcio. O que, é claro, é negócio para um

---

* Este mesmo sr. Goby voltaria a aparecer em outros dois livros posteriores de Agatha Christie: *After the Funeral* (1953) e *The Third Girl* (1966). (N.T.)

advogado. Mas, por razões particulares, quero as mais completas e detalhadas informações.

O sr. Goby olhou para a cornija e murmurou:

– Sobre o sr. Kettering?

– Sobre o sr. Kettering.

– Muito bem, *sir* – o sr. Goby levantou-se.

– Quando as terá?

– O senhor tem pressa?

– Sempre tenho pressa – disse o milionário.

O sr. Goby sorriu de modo compreensivo para a grade da lareira e perguntou:

– Digamos às duas horas da tarde de hoje, *sir*?

– Excelente – aprovou o outro. – Bom dia, Goby.

– Bom dia, sr. Van Aldin.

– Eis um homem muito útil – disse o milionário enquanto Goby saía e o secretário entrava. – Em sua própria linha de atuação, é um especialista.

– E que linha é essa?

– Informação. Dê-lhe 24 horas e ele poderia desnudar a vida privada do arcebispo de Canterbury.

– Um tipo útil de sujeito – disse Knighton, com um sorriso.

– Foi-me útil algumas vezes – respondeu Van Aldin. – E agora, Knighton, estou pronto para o trabalho.

As horas seguintes viram uma vasta quantidade de negócios fechados rapidamente. Já era meio-dia e meia quando o telefone tocou, e o sr. Van Aldin foi informado de que o sr. Kettering havia se anunciado. Knighton olhou para Van Aldin e interpretou seu breve aceno de cabeça.

– Peça ao sr. Kettering para subir, por favor.

O secretário ajeitou a papelada e deixou a sala. Ele e o visitante se cruzaram na porta, e Derek Kettering deu um passo para o lado, deixando o outro sair. Só depois entrou, fechando a porta atrás de si.

– Bom dia, senhor. Ouvi dizer que está ansioso para me ver.

A voz preguiçosa, com uma inflexão vagamente irônica, despertou lembranças em Van Aldin. Havia charme nela – sempre houvera. Olhou com atenção para o genro. Derek Kettering estava com 34 anos, era de constituição magra, rosto moreno, afilado, que ainda mantinha algo de uma meninice indescritível.

– Venha – chamou Van Aldin. – Sente-se.

Kettering lançou-se descontraído a uma poltrona. Olhava para o sogro com uma espécie de sarcasmo tolerante.

– Não via o senhor há um bom tempo, *sir* – comentou, agradavelmente. – Quase dois anos, devo dizer. Já esteve com Ruth?

– Eu a vi noite passada – disse Van Aldin.

– Parecia muito bem, não? – foi o comentário superficial do outro.

– Não sei se você tem tido muitas oportunidades de julgar isso – retrucou Van Aldin, seco.

Derek Kettering ergueu as sobrancelhas e disse, de um jeito despretensioso:

– Oh, nós nos encontramos às vezes no mesmo clube noturno, o senhor sabe.

– Não vou ficar de rodeios – foi a resposta curta de Van Aldin. – Aconselhei Ruth a entrar com um pedido de divórcio.

Derek Kettering ficou imóvel.

– Quão drástico! – murmurou – Importa-se se eu fumar?

Acendeu um cigarro e exalou uma baforada de fumaça enquanto acrescentava, indiferente:

– E o que Ruth disse?

– Ruth tem a intenção de seguir meu conselho.

– É mesmo?

– É tudo o que tem a dizer? – reclamou Van Aldin, rispidamente.

Kettering bateu as cinzas na grade da lareira e respondeu com um ar desinteressado.

– Sabe, acho que ela está cometendo um grande erro.

– Do seu ponto de vista, sem dúvida está – disse Van Aldin, sombrio.

– Ora, vamos – disse o outro. – Não deixe que isto se torne pessoal. Eu realmente não estava pensando em mim neste momento, estava pensando em Ruth. O senhor sabe que meu pai não deve durar muito; todos os médicos dizem isso. Ruth faria melhor se esperasse mais alguns anos até eu ser lorde Leconbury, e ela poderá ser a castelã de Leconbury, que é o motivo pelo qual se casou comigo.

– Não vou mais tolerar o seu maldito descaramento – berrou Van Aldin.

Derek Kettering sorriu, imóvel.

– Concordo com o senhor. É uma ideia obsoleta – disse. – Títulos nada valem nos dias de hoje. Ainda assim, Leconbury é uma ótima propriedade, e, no fim das contas, somos uma das mais antigas famílias da Inglaterra. Será muito desagradável para Ruth divorciar-se de mim para me ver um dia casado de novo, com alguma outra mulher, como senhora de Leconbury, em vez dela.

– Estou falando sério, meu jovem – disse Van Aldin.

– Oh, eu também – retrucou Kettering. – Estou numa maré muito baixa, financeiramente; e, se Ruth se divorciar de mim, isso vai me jogar no buraco. Além do mais, se ela já aguentou por dez anos, por que não suportar um pouco mais? Dou ao senhor minha palavra de honra de que o velho possivelmente não durará mais do que dezoito meses, e, como eu já disse antes, seria uma pena Ruth não conseguir aquilo que queria ao se casar.

– Está sugerindo que minha filha casou com você por seu título e sua posição?

Derek Kettering riu uma gargalhada sem muito contentamento.

– O senhor não pensa que foi por amor, pensa? – perguntou.

– Eu sei – respondeu Van Aldin devagar – que você disse coisas muito diferentes em Paris, dez anos atrás.

– Disse? Talvez tenha dito. Ruth era muito bonita, o senhor sabe... Como um anjo ou uma santa, uma imagem saída de um nicho de igreja. Eu tinha belas ideias, lembro-me, de virar a página, de me aquietar e viver de acordo com as mais altas tradições da vida familiar inglesa, com uma linda esposa que me amasse.

Riu novamente, de modo ainda mais discordante, e disse:

– Mas o senhor não acredita nisso, suponho?

– Não tenho a menor dúvida de que você casou com Ruth por causa do dinheiro – disse Van Aldin, sem traço de emoção.

– E que ela se casou comigo por amor? – perguntou o outro, de modo irônico.

– Com certeza.

Derek Kettering encarou-o por um tempo, e então balançou a cabeça, pensativo.

– Vejo que acredita nisso. Na época, também acreditei. E posso assegurar, caro sogro, que logo me desiludi.

– Não sei onde quer chegar – disse Van Aldin –, e não me importo. Você tem tratado Ruth terrivelmente mal.

– Oh, tenho – concordou Kettering, suave –, mas ela é forte, o senhor sabe. É sua filha. Debaixo daquela maciez branca e rosada, é rígida como granito. O senhor sempre foi conhecido como um homem duro, ao menos assim ouvi falar, mas Ruth é ainda mais dura. O senhor, de alguma forma, ama uma pessoa mais do que a si mesmo. Ruth nunca o amou e nunca o amará.

– Basta! – disse Van Aldin. – Eu o chamei aqui apenas para que pudesse dizer-lhe de modo claro e direto o que pretendo fazer. Minha filha terá um pouco de felicidade. E lembre-se de que eu a estou apoiando.

Derek Kettering levantou-se e ficou junto à cornija da lareira. Jogou fora o cigarro e, quando falou, foi com uma voz muito tranquila.

– O que exatamente o senhor quer dizer com isso?

– Quero dizer – respondeu Van Aldin – que faria melhor em não se opor ao divórcio.

– Oh – disse Kettering –, é uma ameaça?

– Pode entender da maneira que melhor lhe agradar.

Kettering arrastou uma cadeira até a mesa, sentou-se de frente para o milionário e disse com um tom de voz suave:

– Apenas em nome do debate, suponhamos que eu me oponha ao divórcio?

Van Aldin encolheu os ombros.

– Não tem base para sustentar um litígio, jovem tolo. Pergunte aos seus advogados, eles lhe dirão o mesmo, na hora. Sua conduta tem sido notória, o assunto preferido de Londres.

– Ruth está criando caso por causa de Mirelle, suponho. Muito tolo da parte dela. Eu não me envolvo com os amigos de sua filha.

– O que quer dizer? – disse Van Aldin rispidamente.

Derek Kettering riu:

– Vejo que o senhor não sabe de tudo, *sir*, e é, talvez naturalmente, preconceituoso.

Apanhou o chapéu e a bengala e se dirigiu para a porta. Disse, desferindo seu golpe final:

– Não é muito de meu feitio dar conselhos. Mas, neste caso, recomendaria energicamente que houvesse mais franqueza entre pai e filha.

Saiu rápido da sala e fechou a porta no momento em que o milionário erguia-se de um salto.

– Mas que diabos ele quis dizer com isso? – disse Van Aldin, enquanto afundava outra vez em sua cadeira.

A inquietação voltou com força total. Havia qualquer coisa que ele ainda não tinha entendido. O telefone estava ao alcance. Apanhou-o e pediu pelo número da casa da filha.

— Alô? Alô! Mayfair 81907? A sra. Kettering está? Oh, está fora? Sim, saiu para o almoço. A que horas volta? Não sabe? Oh, muito bem. Não, não vou deixar recado.

Furioso, bateu com força o fone no gancho. Às duas da tarde, não parava de andar em seu quarto, esperando por Goby com ansiedade. Este se fez anunciar quando passavam dez minutos das duas.

— E então? — rosnou o milionário com rispidez.

Mas o pequeno sr. Goby não era do tipo que se apressa. Sentou-se à mesa, pegou uma caderneta muito surrada e começou a ler com voz monótona. O milionário escutou atento, com crescente satisfação. Goby terminou a leitura e olhou fixo para a cesta de papéis.

— Hum! — disse Van Aldin. — Isso parece bem definitivo. O caso será decidido em um piscar de olhos. Está tudo certo com a evidência do hotel, suponho?

— Com certeza — disse o sr. Goby e lançou um olhar malévolo para uma poltrona dourada.

— E ele está em maus lençóis nas finanças. Tenta levantar um empréstimo, foi o que disse? Já obteve praticamente tudo o que podia esperar do pai. Uma vez que as notícias do divórcio começarem a circular, não conseguirá levantar mais um centavo, e, além disso, suas dívidas podem ser compradas e usadas para pressioná-lo. Nós o pegamos, Goby; nós o apanhamos com as calças na mão.

Desferiu um soco na mesa. Sua face estava rígida e triunfante.

— A informação — disse o sr. Goby com uma voz fina — parece satisfatória.

— Eu tenho de ir agora até a Curzon Street — disse o milionário. — Estou em grande dívida com você, Goby. Você é dos bons.

Um pálido sorriso de gratidão mostrou-se no rosto do homenzinho enquanto dizia:

– Obrigado, sr. Van Aldin. Tento fazer o meu melhor.

Van Aldin não foi direto para a Curzon Street. Dirigiu-se primeiro para a City, onde teve duas conversas que só aumentaram sua satisfação. De lá, tomou o metrô até a Down Street. Enquanto caminhava ao longo da Curzon Street, um vulto saiu do número 160 e dobrou para subir a rua em sua direção, de maneira que ambos passaram um pelo outro na calçada. Por um momento, o milionário imaginou que poderia ser o próprio Derek Keterring; a altura e a constituição eram semelhantes. Mas à medida que ficavam frente a frente, viu que o homem era um estranho. Contudo... Não, não um estranho, seu rosto parecia familiar ao milionário, associado definitivamente a algo desagradável. Em vão quebrou a cabeça, mas seja lá o que fosse, a memória esquivava-se dele. Prosseguiu, sacudindo a cabeça, irritado. Odiava sentir-se confuso.

Ruth Kettering estava claramente esperando por ele. Quando o pai entrou, ela correu até ele e o beijou.

– E então, papai, como vão as coisas?

– Muito bem – disse Van Aldin –, mas tenho umas palavras a trocar com você, Ruth.

Ele sentiu a mudança quase imperceptível nela, algo astuto e cauteloso tomou o lugar da impulsividade de sua saudação. Ela se sentou em uma poltrona grande.

– Sim, papai? – perguntou. – O que é?

– Vi seu marido esta manhã – disse Van Aldin.

– O senhor viu Derek?

– Sim. Ele disse muitas coisas, a maioria das quais uma grande desfaçatez. Mas, quando estava saindo, falou algo que eu não entendi. Advertiu-me para estar certo de que havia perfeita franqueza entre pai e filha. O que ele quis dizer com isso, Ruthie?

A sra. Kettering mexeu levemente no cabelo.

– Eu... Eu não sei, papai. Como poderia saber?
– É claro que sabe – disse Van Aldin. – Disse ainda algo, sobre ter as amigas dele e não interferir nas suas amizades. O que ele quis dizer com isso?
– Não sei – disse outra vez Ruth Kettering.
Van Aldin sentou-se. Sua boca era uma linha severa.
– Olhe aqui, Ruth, eu não vou entrar nisso de olhos fechados. Não estou totalmente seguro de que aquele seu marido não tenha a pretensão de causar problemas. Ele não pode fazer nada, tenho certeza disso. Tenho os meios para silenciá-lo, para calar-lhe a boca de uma vez por todas, mas tenho de saber se há necessidade de usar tais meios. O que ele quis dizer com você ter seus próprios amigos?
A sra. Kettering encolheu os ombros e respondeu vagamente:
– Tenho muitos amigos. Não sei o que ele quis dizer, tenho certeza.
– Você sabe – retrucou Van Aldin.
Ele agora falava como se discutisse com um adversário nos negócios.
– Vou deixar as coisas mais claras. Quem é o homem?
– Que homem?
– O homem. Aquele a quem Derek estava se referindo. Algum homem em especial que é seu amigo. Você não precisa se preocupar, querida, sei que não há nada demais nisso, mas temos que planejar tudo pensando em como parecerá na Corte. Eles podem inverter as coisas, você sabe. Quero saber quem é o homem, e também o quão amigável você tem sido com ele.
Ruth não respondeu. Esfregava as mãos com uma concentração intensa e nervosa.
– Vamos, querida – disse Van Aldin em uma voz mais branda. – Não tenha medo de seu velho pai. Não fui muito severo, fui? Mesmo naquela vez em Paris... Céus!
Parou, como atingido por um raio.
– Era ele – murmurou para si mesmo. – Bem pensei ter conhecido seu rosto.

– Do que o senhor está falando, papai? Não entendo.

O milionário caminhou até ela com passos largos e pegou-a firmemente pelo pulso.

– Olhe aqui, Ruth, você está vendo aquele camarada de novo?

– Que camarada?

– O que causou toda aquela confusão anos atrás. Sabe muito bem a quem estou me referindo.

– O senhor quer dizer... – ela hesitou. – O senhor quer dizer o conde de la Roche?

– Conde de la Roche! – bufou Van Aldin. – Eu disse na época que aquele homem não era melhor do que um vigarista. Você se envolveu profundamente com ele, mas consegui tirá-la das garras do sujeito.

– Sim, o senhor conseguiu – disse Ruth, amarga. – E eu me casei com Derek Kettering.

– Porque assim o quis – devolveu o milionário, cortante.

Ela deu de ombros.

– E agora – continuou Van Aldin, devagar – você o tem visto novamente... depois de tudo o que eu disse. Ele esteve nesta casa hoje. Encontrei-o lá fora, e não consegui reconhecê-lo por um momento.

Ruth Kettering havia recuperado a compostura.

– Quero dizer uma coisa, papai. Está errado sobre Armand... Digo, conde de la Roche. Oh, sei que ele teve muitos incidentes lamentáveis na juventude... Contou-me todos. Mas... Bem, ele sempre gostou de mim. Parti seu coração quando o senhor nos separou em Paris, e agora...

Ela foi interrompida pelo pai, bufando de indignação.

– Então você se apaixonou por aquele traste, não foi? Você, uma filha minha! Deus meu!

Ergueu as mãos para cima.

– As mulheres podem ser tão idiotas!

Capítulo 6

Mirelle

Derek Kettering deixou a suíte de Van Aldin de forma tão precipitada que colidiu com uma senhora que passava pelo corredor. Pediu desculpas, ela as aceitou com um sorriso tranquilizador e seguiu seu caminho, deixando a agradável impressão de uma personalidade suave e de olhos cinzentos muito belos.

Apesar de toda sua aparente indiferença, a conversa com o sogro havia abalado Derek mais do que ele gostaria de demonstrar. Almoçou solitário e, com a testa franzida, foi até o suntuoso apartamento da dama conhecida como Mirelle. Uma criada francesa o recebeu com sorrisos.

– Por favor, entre, monsieur. Madame está repousando.

Foi conduzido até a longa sala com a decoração oriental que conhecia tão bem. Mirelle estava deitada no divã, apoiada por um número incrível de almofadas, todas em variados tons de âmbar, para se harmonizarem com o amarelo-ocre de sua fisionomia. A dançarina era uma mulher benfeita de corpo, e se seu rosto parecia muito magro debaixo da pintura amarelada, ainda tinha um charme bizarro todo próprio. Seus lábios alaranjados sorriram convidativos para Derek Kettering.

Ele a beijou e jogou-se em uma cadeira.

– O que tem feito? Acordou agora, aposto.

– Não – disse a dançarina –, estava trabalhando.

Estendeu a mão pálida e delgada na direção do piano, coberto por partituras em desordem.

– Ambrose esteve aqui. Tocou para mim sua nova ópera.

Kettering acenou com a cabeça sem prestar muita atenção. Estava profundamente desinteressado em Claud Ambrose e sua adaptação do *Peer Gynt*, de Ibsen. Mirelle pensava do mesmo modo e contemplava a ópera apenas como uma ótima oportunidade para sua própria apresentação como Anitra.

– É um balé maravilhoso – murmurou –, colocarei toda a paixão do deserto nele. Dançarei coberta de joias. Ah, e a propósito, *mon ami*, há uma pérola que vi ontem na Bond Street... Uma pérola negra...

Fez uma pausa, olhando para ele de forma sedutora.

– Minha querida – disse Kettering –, é inútil falar de pérolas negras comigo. No presente minuto, e até onde me diz respeito, acabou-se o que era doce.

Ela foi rápida em responder àquela entonação de voz. Sentou-se, com os grandes olhos negros muito abertos.

– Que está dizendo, Dereek? O que aconteceu?

– Meu estimado sogro – disse Kettering – está se preparando para ir até as últimas consequências.

– Sim?

– Em outras palavras, ele quer que Ruth se divorcie de mim.

– Que estupidez! – disse Mirelle. – Por que ela iria querer se divorciar de você?

Derek Kettering sorriu de um modo afetado.

– Principalmente por sua causa, *chérie*!

Mirelle encolheu os ombros.

– Isso é tolice – ela observou, indiferente.

– Muita tolice – concordou Derek.

– E o que você vai fazer a respeito? – interrogou Mirelle.

– Minha querida, o que posso fazer? De um lado, o homem com o dinheiro ilimitado. Do outro, o homem com as dívidas ilimitadas. Não há muita dúvida sobre qual dos dois terminaria vencedor.

– Eles são extraordinários, esses americanos – comentou Mirelle. – Não é nem uma questão de a sua mulher sentir ciúmes de você.

– Bem – disse Derek –, o que vamos fazer a respeito?

Ela o olhou de forma interrogativa. Ele se ergueu e tomou as mãos dela nas suas:

– Vai me apoiar?

– Como assim? Depois...?

– Sim – disse Kettering. – Depois, quando os credores caírem sobre mim como lobos sobre o rebanho. Estou perdidamente apaixonado por você, Mirelle. Você vai me abandonar?

Ela retirou as mãos das dele.

– Sabe que eu adoro você, Dereek...

Ele captou a nota de evasão na voz dela.

– Então é assim, não? Os ratos vão abandonar o navio afundando.

– Ah, Dereek!

– Pare com isso – ele disse, violentamente. – Vai me dispensar, é isso?

Ela sacudiu os ombros

– Gosto muito de você, *mon ami*... realmente gosto. É muito charmoso, *un beau garçon*, mas *ce n'est pas practique*.

– Você é um luxo para um homem rico, então? É isso?

– Se você quiser colocar as coisas dessa maneira.

Ela se recostou novamente sobre as almofadas, sua cabeça reclinada para trás.

– Não me importa. Gosto de você, Dereek.

Ele andou até a janela e ficou ali algum tempo olhando para fora, de costas para ela. Logo a dançarina ergueu-se sobre os cotovelos e olhou-o com curiosidade.

– No que está pensando, *mon ami*?

Ele sorriu virando o rosto por sobre os ombros, um sorriso curioso, que a fez sentir-se vagamente desconfortável.

– Como de hábito, estava pensando em uma mulher, minha querida.

– Uma mulher?

Mirelle agarrou-se ao que podia compreender.

– Está pensando em uma outra mulher, é isso?

– Oh, você não precisa se preocupar; é apenas um retrato imaginário. "O retrato de uma dama de olhos cinzentos."

– E quando a conheceu? – perguntou Mirelle, áspera.

Derek Kettering riu, e seu sorriso soou irônico, zombeteiro.

– Esbarrei nessa dama no corredor do Hotel Savoy.

– Bem, e o que ela disse?

– Até onde posso me lembrar, eu disse "me desculpe", e ela disse "não tem de quê", ou palavras com o mesmo efeito.

– E então? – persistiu a dançarina.

Kettering encolheu os ombros.

– E então... Nada. Esse foi o fim do incidente.

– Não estou entendendo uma palavra do que você está dizendo – declarou ela.

– "Retrato de uma dama de olhos cinzentos" – murmurou Derek, pensativo. – Melhor que eu nunca mais a veja de novo.

– Por quê?

– Ela pode me dar azar. É o que fazem as mulheres.

Mirelle deslizou silenciosa de seu divã e foi até ele, pousando um braço longo e sinuoso ao redor de seu pescoço.

– Você é um bobo, Dereek – ela murmurou. – É realmente muito bobo. É um *beau garçon*, e adoro você, mas não fui feita para ser pobre... Não, decididamente não fui feita para ser pobre. Escute-me; é tudo muito simples. Você deve se reconciliar com sua mulher.

– Essa possibilidade realmente não estaria na esfera das práticas políticas – disse Dereek, secamente.

– Como assim? Não entendo.

– Van Aldin, minha querida. Ele é do tipo de homem que toma uma posição e a sustenta.

– Eu ouvi falar dele – disse a dançarina com um aceno de cabeça. – Ele é muito rico, não é? Quase o homem mais rico da América. Poucos dias atrás, em Paris, ele comprou o mais magnífico rubi do mundo... O "Coração de Fogo", como é chamado.

Kettering não respondeu. A dançarina prosseguiu, contemplativa.

– É uma pedra maravilhosa... Uma pedra que deveria pertencer a uma mulher como eu. Eu amo joias, Dereek; elas me dizem algo. Ah, usar um rubi como o "Coração de Fogo"!

Ela deu um suspiro, e então se tornou prática uma vez mais.

– Você não entende essas coisas, Dereek; é só um homem. Van Aldin vai dar aqueles rubis para a filha, suponho. Ela é filha única?

– Sim.

– Então, quando ela morrer, vai herdar todo o dinheiro. Será uma mulher rica.

– Já é uma mulher rica – disse Kettering, seco. – Ele deu a ela dois milhões por ocasião do casamento.

– Dois milhões? Mas é uma soma imensa. E se ela morresse subitamente? Tudo ficaria para você?

– Se as coisas ficassem como estão – disse Kettering, devagar –, ficaria. Até onde sei, ela não fez testamento.

– *Mon Dieu!* – disse a dançarina. – Se ela morresse, que solução seria!

Houve um momento de pausa, e então Derek se pôs às gargalhadas.

– Gosto de sua mentalidade prática e simples, Mirelle, mas temo que seu desejo não venha a se realizar. Minha mulher é uma pessoa extremamente saudável.

– *Eh bien!* Acidentes acontecem.

Ele a olhou com severidade, mas não respondeu. Ela prosseguiu.

– Mas você está certo, *mon ami*, não devemos nos demorar em possibilidades. Veja, meu pequeno Dereek, não deve haver mais conversas a respeito desse divórcio. Sua mulher deve desistir da ideia.

– E se ela não desistir?

Os olhos da dançarina estreitaram-se

– Acho que ela desistirá, meu amigo. É daquelas que não apreciam publicidade. Há uma ou duas belas histórias que ela não gostaria que os amigos lessem nos jornais.

– A que você se refere? – perguntou Derek, áspero.

Mirelle riu, atirando a cabeça para trás.

– *Parbleu*! Refiro-me ao cavalheiro que chama a si mesmo o conde de la Roche. Sei tudo sobre ele. Sou parisiense, lembre-se. Ele foi amante dela antes que ela se casasse com você, não foi?

Kettering a agarrou rispidamente pelos ombros.

– Isso é uma maldita mentira – disse. – E, por favor, lembre-se de que, no fim das contas, você está falando da minha mulher.

Mirelle estava agora um pouco mais moderada.

– Vocês, ingleses, são extraordinários – queixou-se. – Não me importa, ouso dizer que está certo. As americanas são tão frias, não são? Mas você vai me permitir dizer, *mon ami*, que ela estava apaixonada por ele antes de se casar com você, e o pai dela se intrometeu e mandou o conde tratar de seus próprios assuntos. E a pequena mademoiselle verteu muitas lágrimas! Mas obedeceu. Contudo, você deve saber tão bem quanto eu, Dereek, que a história é bem diferente agora. Ela o vê quase diariamente e, no dia 14, vai a Paris para encontrá-lo.

– Como sabe de tudo isso? – inquiriu Derek.

– Eu? Tenho amigos em Paris, meu caro Dereek, que conhecem o conde intimamente. Está tudo combinado. Ela está indo para a Riviera, assim diz, mas na realidade o conde a encontra em Paris e... Quem sabe! Sim, sim, pode acreditar na minha palavra, está tudo combinado.

Derek Kettering permaneceu imóvel.

– Vê? – ronronou a dançarina. – Se você for esperto, a terá na palma da mão. E pode tornar as coisas bastante embaraçosas para ela.

– Oh, pelo amor de Deus, cale-se – gritou Kettering. – Cale essa maldita boca!

Mirelle atirou-se no divã com um sorriso. Kettering apanhou o chapéu e o casaco e deixou o apartamento, batendo a porta com violência. Ainda assim a dançarina sentou-se no divã e sorriu suavemente. Não estava insatisfeita com seu trabalho.

Capítulo 7

Cartas

A sra. Samuel Harfield apresenta seus cumprimentos à srta. Katherine Grey e gostaria de apontar que, sob as atuais circunstâncias, a srta. Grey pode não estar ciente...

A sra. Harfield, tendo escrito até ali de forma tão fluente, interrompeu-se, detida pelo que já havia se mostrado um obstáculo insuperável para muitas outras pessoas: a dificuldade de se expressar com desenvoltura na terceira pessoa. Depois de um momento de hesitação, arrancou a folha do bloco de papel e começou uma nova:

Querida srta. Grey,
Conquanto aprecie completamente a maneira satisfatória como se desincumbiu de suas obrigações para com minha prima Emma (cuja morte recente foi de fato um golpe severo para todos nós), não posso evitar sentir...

Novamente a sra. Harfield se deteve. Uma vez mais a carta foi mandada para o cesto de papéis. Só após quatro tentativas malsucedidas a sra. Harfield afinal produziu uma epístola que a satisfez. Foi devidamente selada, lacrada e endereçada à srta. Katherine Grey, Little Crampton, St. Mary Mead*, Kent. Chegou à destinatária na manhã seguinte, pela hora do café, acompanhada de

---

* Esta é a primeira ocorrência do nome St. Mary Mead para uma localidade ficcional de Agatha Christie. Mais tarde, o nome batizaria o lugar de residência da outra detetive recorrente da autora: Miss Marple, no romance *Murder at the Vicariat* (1930). Agatha Christie usou o mesmo nome para dois lugares diferentes. A St. Mary Mead de Marple fica no condado ficcional de Downshire; a de Katherine Grey, em Kent. (N.T.)

um comunicado aparentemente mais importante em um longo envelope azul.

Katherine Grey abriu primeiro a carta da sra. Harfield. O texto dizia o que segue:

Querida srta. Grey,
Meu marido e eu desejamos expressar nossos agradecimentos pelos serviços prestados à minha pobre prima Emma. A morte dela foi um grande golpe para nós, ainda que, é claro, estejamos cientes de que as faculdades mentais de Emma já vinham falhando há algum tempo. Entendo que as derradeiras disposições testamentais de minha prima foram de caráter demasiado peculiar e não seriam mantidas, é claro, em nenhuma corte de justiça. Não tenho nenhuma dúvida de que, com o seu habitual bom-senso, já percebeu esse fato. Se esse assunto puder ser resolvido de modo privado, será muito melhor, é o que diz meu marido. Ficaríamos muito satisfeitos em recomendá-la com o mais alto conceito para uma posição similar, e esperamos que venha, também, a aceitar um pequeno presente.
Meus cumprimentos, srta. Grey.

Cordialmente,
Mary Anne Harfield

Katherine Grey leu toda a carta, sorriu e releu-a de novo. Sua expressão enquanto baixava a carta após a segunda leitura era claramente irônica. Abriu a outra carta. Depois de uma breve olhada, largou-a e ficou mirando em frente, muito séria. Desta vez, não sorriu. De fato, seria difícil para qualquer um que a observasse adivinhar que emoções jaziam por trás de seu olhar ausente e pensativo.

Katherine Grey estava com 33 anos. Vinha de uma boa família, mas seu pai havia perdido todo o dinheiro, e Katherine teve que trabalhar para sobreviver desde cedo.

Tinha apenas 23 anos quando se empregou junto à velha sra. Harfield como dama de companhia.

Todos sabiam que a velha sra. Harfield era "difícil". Damas de companhia chegavam e partiam com alarmante rapidez. Vinham cheias de esperança e geralmente partiam em lágrimas. Mas, a partir do momento em que Katherine Grey pusera os pés em Little Crampton, dez anos antes, havia reinado a mais perfeita paz. Ninguém sabia como isso acontecera. Dizem que encantadores de serpentes nascem, não são formados. E Katherine Grey havia nascido com o poder de lidar com velhas, cães e crianças, e ela o fazia sem esforço aparente.

Aos 23, havia sido uma garota quieta com lindos olhos. Aos 33, era uma mulher quieta com os mesmos olhos cinzentos, ofuscando o mundo calmamente com uma espécie de serenidade feliz que nada poderia abalar. Além disso, havia nascido com senso de humor – que ainda possuía.

Enquanto sentava-se à mesa do café, olhando para frente, ouviu um toque na campainha, acompanhado de um matraquear enérgico na aldrava. Logo em seguida, a pequena criada abriu a porta e anunciou, um tanto ofegante:

– O dr. Harrison.

O doutor, um homem grande de meia-idade, irrompeu na sala com a energia e o alvoroço prenunciados pelo seu ataque violento à aldrava.

– Bom dia, srta. Grey.

– Bom dia, dr. Harrison.

– Passei por aqui tão cedo – começou o doutor – para o caso de você ter sido procurada por aqueles primos Harfield. A sra. Samuel, ela chama a si própria... "uma pessoa perfeitamente pérfida".

Sem dizer nada, Katherine apanhou a carta da sra. Harfield de sobre a mesa e a deu para o médico. Distraída, observou-o passar os olhos pelo papel, o desenho conjunto das sobrancelhas cerradas, resfolegando e grunhindo com violenta desaprovação. Ele largou a carta outra vez sobre a mesa.

– Perfeitamente monstruoso – encolerizou-se. – Não se deixe abalar, minha querida. Estão falando bobagens. O discernimento da sra. Harfield estava tão bom quanto o seu ou o meu, e não vai achar ninguém que diga o contrário. Eles não têm um caso, e sabem disso. Toda aquela conversa de levar o assunto ao tribunal é puro blefe. Por isso, esta tentativa de pegar você em uma cilada. E olhe aqui, minha querida, não se deixe ludibriar por coração mole. Não fique imaginando que é seu dever ceder-lhes o dinheiro, ou qualquer outra tolice ditada por escrúpulos de consciência.

– Temo que não tenha me ocorrido ter escrúpulos – disse Katherine. – Essas pessoas são aparentadas do marido da sra. Harfield e nunca chegaram perto dela ou quiseram saber qualquer notícia enquanto estava viva.

– É uma mulher ajuizada – disse o médico. – Sei melhor do que ninguém que teve uma vida difícil nos últimos dez anos. Você tem o mais completo direito de desfrutar das economias da velha senhora, sejam quais forem.

Katherine sorriu pensativa.

– Sejam quais forem – ela repetiu. – O senhor não tem a mínima ideia do montante, doutor?

– Bem... o bastante para render quinhentas libras por ano, mais ou menos, eu suponho.

Katherine acenou com a cabeça.

– Foi o que pensei – ela disse. – Agora leia isto.

Entregou-lhe a carta que havia tirado do envelope azul comprido. O médico leu e proferiu uma exclamação de completa perplexidade.

– Impossível! – ele murmurou. – Impossível!

– Ela era uma das acionistas originais da Mortaulds. Quarenta anos atrás, devia receber rendimentos anuais de oito a dez mil libras. E nunca, tenho certeza, gastou mais do que quatrocentas libras por ano. Era terrivelmente precavida com dinheiro. Sempre acreditei que a necessidade a obrigava a ser cuidadosa com cada centavo.

– E todo esse tempo os rendimentos vinham se acumulando com juros compostos. Minha querida, você será uma mulher muito rica.

Katherine Grey concordou com um aceno de cabeça.

– Sim, serei.

Falava em um tom desinteressado e impessoal, como se olhasse a situação de fora.

– Bem – disse o doutor, preparando-se para partir –, você tem meus parabéns.

Apontou com o polegar para a carta da sra. Samuel Harfield.

– E não se preocupe com aquela mulher e sua odiosa carta.

– Não é uma carta odiosa – respondeu a srta. Grey de modo tolerante. – Dadas as circunstâncias, penso que foi a coisa natural a se fazer.

– Algumas vezes fico espantado com você – disse o médico.

– Por quê?

– Pelas coisas que você acha perfeitamente naturais...

Katherine riu.

O dr. Harrison contou a notícia para sua esposa à hora do almoço. Ela estava bastante excitada com as novidades.

– A excêntrica sra. Harfield... Com todo aquele dinheiro. Estou feliz que ela o tenha deixado para Katherine Grey. Aquela menina é uma santa.

O doutor fez uma careta.

– Sempre imaginei os santos como pessoas bem difíceis. Katherine Grey é humana demais para ser santa.

– É uma santa com senso de humor – disse a mulher do médico. – E, embora eu não suponha que você tenha sequer notado, é extremamente atraente.

– Katherine Grey? – O doutor estava surpreso de verdade. – Sei que tem olhos muito bonitos.

– Oh, vocês homens! – queixou-se a esposa. – Cegos como morcegos. Katherine tem em si todos os predicados da beleza. Tudo o que precisa é de roupas!

– Roupas? O que há de errado com as roupas dela? Sempre me pareceu muito bem-vestida.

A sra. Harrison deu um suspiro exasperado, e o doutor começou os preparativos para suas visitas de rotina.

– Você devia ir vê-la, Polly – ele sugeriu.

– Eu irei – disse a sra. Harrison prontamente.

Ela chegou por volta das três da tarde.

– Minha querida, estou tão contente – disse, afetuosa, enquanto apertava a mão de Katherine. – E todos no vilarejo ficarão contentes também.

– É muito gentil de sua parte vir me dizer isso – disse Katherine. – Estava esperando que a senhora viesse porque eu queria lhe perguntar por Johnnie.

– Oh! Johnnie. Bem...

Johnnie era o filho mais novo da sra. Harrison. No minuto seguinte, ela já estava alheia, relatando uma longa história na qual os adenoides e as amídalas de Johnnie inchavam terrivelmente. Katherine ouvia com simpatia. É duro deixar certos hábitos, e ouvir havia sido sua sina nos últimos dez anos. "Minha querida, já contei a você daquela vez no baile naval de Portsmouth? Quando lorde Charles elogiou meu vestido?" E serena, de modo gentil, Katherine respondia: "Acho que já, sra. Harfield, mas me esqueci. Não quer contar de novo?" E a velha punha em marcha a história completa, com numerosas correções, e intervalos, e evocação de detalhes. E metade da mente de Katherine ouvia, dizendo as coisas certas mecanicamente quando a senhora fazia as pausas...

Era com a mesma curiosa sensação de dualidade a que já estava acostumada que ouvia agora a sra. Harrison, que, ao fim de meia hora, exclamou:

– Mas fiquei falando de mim todo esse tempo, e vim aqui para falar de você e de seus planos.

– Não sei se já tenho algum.

– Minha querida, você não vai ficar *aqui*, vai?

Katherine sorriu diante do horror no tom da outra.

– Não, acho que quero viajar. Não conheço muita coisa do mundo, a senhora sabe.

– E não sei? Deve ter sido uma vida terrível a que levou confinada aqui por todos esses anos.

– Não sei – disse Katherine. – Foi uma vida que me deu muita liberdade.

A outra engasgou por um momento, e Katherine corou de leve.

– Pode soar tolo dizer isso. Claro, não tive muita liberdade no sentido físico, estritamente falando...

– Imagino que não – suspirou a sra. Harrison, recordando que Katherine raras vezes havia desfrutado daquilo a que chamamos "dia de folga".

– Mas de certa forma, estar fisicamente presa dá a você muito espaço para expandir seu pensamento. Fica-se sempre livre para pensar, e sempre tive uma agradável sensação de liberdade mental.

A sra. Harrison balançou a cabeça.

– Não consigo entender...

– Oh, a senhora entenderia se estivesse em meu lugar. Mas, de qualquer forma, sinto que desejo uma mudança. Quero... Bem, quero que coisas aconteçam. Oh, não para mim... Não é a isso que estou me referindo. Mas estar no meio de alguma coisa... algo excitante... Mesmo que eu seja apenas a espectadora. A senhora sabe, não acontece nada em St. Mary Mead.

– De fato, não acontece – disse a sra. Harrison, com fervor.

– De qualquer jeito, tenho que ir a Londres primeiro – disse Katherine –, ver os advogados. Depois, vou para o exterior, acho.

– Ótimo.
– Mas é claro, antes de tudo...
– Sim?
– Preciso comprar algumas roupas.
– Exatamente o que eu dizia para o Arthur esta manhã – exclamou a esposa do médico. – Sabe, Katherine, você poderia ser absolutamente linda se tentasse.

A srta. Grey riu sem afetação e disse, com sinceridade:
– Oh, eu não acho que a senhora poderia fazer de mim uma beldade. Mas adoraria ter algumas roupas boas. Receio que esteja falando demais de mim mesma.

A sra. Harrison olhou-a de modo astuto.
– Deve ser uma experiência bastante nova para você – disse, com ironia.

Katherine foi se despedir da srta. Viner antes de deixar a vila. A srta. Viner era dois anos mais velha que a sra. Harfield e não parava de pensar em como havia tido sucesso em sobreviver à amiga morta.

– Não achava que eu fosse viver mais do que Jane Harfield, achava? – perguntou a Katherine com ar triunfante. – Frequentamos a mesma escola, ela e eu. E aqui estamos, ela se foi e eu fiquei. Quem diria!

– A senhora sempre comeu pão integral no jantar, não? – murmurou Katherine mecanicamente.

– Quem diria que você lembraria disso, querida. Sim; se Jane Harfield tivesse comido uma fatia de pão integral a cada noite e tomado um pouco de estimulante a cada refeição, poderia estar aqui hoje.

A velha fez uma pausa, balançando a cabeça em triunfo. Então acrescentou, em uma súbita lembrança:
– Ouvi dizer, então, que você vai pôr a mão em muito dinheiro! Ora, ora. Cuide bem dele. E que vai a Londres para se divertir! Não ache que vai arranjar um casamento lá, minha querida, porque não vai. Você não é do tipo que atrai os homens. E, além do mais, seu tempo está passando. Quantos anos você tem?

– Trinta e três – disse Katherine.

– Bem... – comentou a srta. Viner, em tom de dúvida. – Não está mal. Você perdeu o frescor da juventude, é claro.

– Receio que sim – disse Katherine, divertida.

– Mas é uma moça fabulosa – disse a srta. Viner, gentil. – Estou certa de que um homem pode fazer muitas coisas piores do que tomar você como esposa em vez de uma dessas doidivanas que andam por aí mostrando mais pernas do que o Criador jamais pretendeu. Adeus, minha querida, espero que se divirta e saiba que as coisas raramente são o que parecem nesta vida.

Encorajada por essas profecias, Katherine partiu. Metade do vilarejo veio se despedir dela na estação, incluindo a criada, Alice, que lhe trouxe um ramalhete de flores e chorou abertamente.

– Não há muitas como ela – soluçou Alice quando o trem partiu. – Tenho certeza de que quando o Charlie me largou por aquela mulher da leiteria ninguém teria sido mais gentil do que a srta. Grey foi, e, apesar de muito detalhista com o serviço e o pó, sempre era a única a notar quando você dava um polimento extra a alguma coisa. Eu me cortaria em pedacinhos por ela, sem hesitação. Uma verdadeira dama, é assim que eu a chamo.

E assim foi a partida de Katherine de St. Mary Mead.

Capítulo 8

Lady Tamplin escreve uma carta

– Bem – disse lady Tamplin –, muito bem.

Baixou a edição continental do *Daily Mail* e olhou para as águas azuis do Mediterrâneo. Um ramo de mimosas douradas, pendendo acima de sua cabeça, compunha uma eficaz moldura para um quadro muito encantador: uma dama de cabelos dourados e olhos azuis em um *negligé* muito vistoso. Era inegável que o cabelo dourado, assim como o branco róseo de seu semblante, deviam alguma coisa à maquiagem, mas o azul dos olhos era um dom da natureza, e aos 44 anos lady Tamplin ainda podia ser considerada muito bela.

Por mais que parecesse encantadora, ela não estava, naquele momento, pensando em si mesma. Quer dizer, não estava pensando em sua aparência, estava concentrada em assuntos de maior gravidade. Lady Tamplin era uma figura bem conhecida na Riviera, e suas festas na Villa Marguerite eram, com justiça, célebres. Mulher de considerável experiência, havia tido quatro maridos. O primeiro havia sido meramente uma indiscrição, e ela raramente o mencionava. Ele tivera o bom-senso de morrer com louvável rapidez, e, depois disso, sua viúva desposara um rico fabricante de botões, que também partira para outra esfera depois de três anos de vida conjugal – dizia-se que depois de uma noite de farra com alguns bons companheiros. Depois dele, veio o visconde Tamplin, que lançara Rosalie às alturas que ela sempre almejara alcançar. Manteve seu título quando casou pela quarta vez. A quarta aventura conjugal fora empreendida por puro prazer. O sr. Charles Evans, jovem extremamente bem-apessoado de 27 anos, tinha maneiras encantadoras, ardente amor pelos esportes e alta estima pelos bens deste mundo, mas dinheiro que fosse seu, não possuía nenhum.

Lady Tamplin estava muito contente e satisfeita com a vida, mas tinha preocupações vagas e ocasionais com dinheiro. O fabricante de botões havia deixado à sua viúva uma considerável fortuna, contudo, como lady Tamplin gostava de dizer, "devido a uma coisa e outra..." ("uma coisa" sendo a depreciação das ações devido à guerra e "outra" as extravagâncias posteriores de lorde Tamplin). Ela ainda estava em situação confortável. Mas estar em situação meramente confortável era bem pouco satisfatório para alguém com o temperamento de Rosalie Tamplin.

Assim, naquela manhã de janeiro em particular, ela arregalou os olhos azuis ao ler uma determinada notícia e pronunciar aquele involuntário e monossilábico "ora...". A única outra ocupante da varanda era sua filha, a honorável Lenox Tamplin. Uma filha como Lenox era um triste espinho cravado no flanco de lady Tamplin: uma garota sem tato nenhum, que parecia bem mais velha do que sua idade e cujo peculiar senso de humor sardônico era, para dizer o mínimo, desconfortável.

– Querida – disse lady Tamplin –, imagine só.

– O que é?

Lady Tamplin pegou o *Daily Mail*, alcançou-o para sua filha e apontou com um indicador agitado o parágrafo de interesse.

Lenox leu sem nenhum dos sinais de inquietação demonstrados por sua mãe e devolveu o jornal.

– E daí? – perguntou. – É o tipo de coisa que está sempre acontecendo. Velhas avarentas estão sempre morrendo nos vilarejos e deixando fortunas de milhões para suas humildes damas de companhia.

– Sim, querida, eu sei – falou a mãe – e ouso dizer que a fortuna nem é tão grande como eles dizem. Jornais são tão imprecisos. Mas mesmo se você cortar o valor pela metade...

– Bem – disse Lenox –, não foi deixado para nós.

– Não exatamente, querida – disse lady Tamplin –, mas esta garota, esta Katherine Grey, é na verdade minha prima. Dos Greys de Worcestershire, em Edgeworth. Minha própria prima! Imagine!

– Ah! – disse Lenox. – É mesmo?

– E eu estava pensando...

– O que vamos ganhar com isso – completou Lenox, com o sorriso enviesado que sua mãe tinha dificuldade para entender.

– Oh, querida – disse lady Tamplin, com uma leve nota de reprovação. Mas muito leve, porque Rosalie Tamplin estava acostumada com a franqueza da filha e com o que chamava de "a maneira desagradável de Lenox dizer as coisas".

– Estava pensando – repetiu lady Tamplin, juntando as sobrancelhas artisticamente desenhadas – se... Oh, bom dia, Chubby querido: vai jogar tênis? Que ótimo.

Chubby, a quem a frase fora dirigida, sorriu gentilmente para ela e comentou, de forma mecânica:

– Você está o máximo nessa coisa cor de pêssego.

Despreocupado, passou por elas e desceu as escadas.

– Querido... – disse lady Tamplin, olhando afetuosamente para o marido.

– Vamos ver, o que eu estava dizendo? Ah! – ela dirigiu o pensamento de volta aos negócios. – Estava pensando...

– Ah, pelo amor de Deus, ande com isso. É a terceira vez que você diz a mesma coisa.

– Bem, querida – disse lady Tamplin –, estava pensando que seria muito apropriado se eu escrevesse para a querida Katherine e sugerisse que ela nos fizesse uma pequena visita. Naturalmente, está um tanto desacostumada com o convívio em sociedade. Seria ótimo para ela ser apresentada por alguém de sua própria gente. Uma vantagem para ela e uma vantagem para nós.

– Quanto acha que conseguiria arrancar dela? – perguntou Lenox.

A mãe lançou para ela um olhar cheio de censura e murmurou:

– Poderíamos chegar a algum acordo financeiro, é claro. É que, devido a uma coisa e outra... A guerra... Seu pobre pai...

– E agora o Chubby – disse Lenox. – Ele é um luxo caro, como você gosta.

– Até onde me lembro dela, era uma boa menina – murmurou lady Tamplin, seguindo sua própria linha de raciocínio –; quieta, nunca queria chamar a atenção, não era uma beldade e nem, definitivamente, uma caçadora de homens.

– Ela vai deixar Chubby em paz, então? – disse Lenox.

Lady Tamplin olhou para a filha em protesto.

– Chubby nunca... – ela começou.

– Não – interrompeu Lenox –, não acredito que faria algo assim, ele conhece bem sua galinha dos ovos de ouro.

– Querida – disse lady Tamplin –, você tem um jeito tão rude de dizer as coisas.

– Desculpe – disse Lenox.

Lady Tamplin ajeitou o *negligé*, pegou o *Daily Mail*, uma bolsa e uma porção de cartas.

– Devo escrever para a querida Katherine de uma vez – ela disse – e lembrá-la dos velhos tempos em Edgeworth.

Entrou na casa, a luz de um propósito brilhando em seus olhos.

Ao contrário do que ocorria com a sra. Samuel Harfield, a correspondência fluía facilmente de sua pena. Cobriu quatro folhas sem pausa nem esforço e, ao relê-las, não encontrou motivo para alterar uma palavra.

Katherine recebeu-as na manhã de sua chegada a Londres. Se leu ou não as entrelinhas, não se sabe. Guardou a carta em sua bolsa e se pôs a caminho do encontro que havia marcado com os advogados da sra. Harfield.

A firma era antiga, estava há muito estabelecida em Lincoln's Inn Fields. Depois de alguns minutos de espera, Katherine se viu na presença do sócio sênior, um homem idoso e gentil, com perspicazes olhos azuis e maneiras paternais.

Eles discutiram o testamento da sra. Harfield e várias questões legais por cerca de vinte minutos, e então Katherine entregou ao advogado a carta da sra. Samuel.

– Suponho que é melhor eu lhe mostrar isso – ela disse –, embora seja realmente ridículo.

Ele leu com um leve sorriso.

– Melhor dizer uma tentativa grosseira, srta. Grey. Nem preciso afirmar, suponho, que estas pessoas não têm direitos de nenhum tipo sobre o espólio e, se tentarem contestar o testamento, nenhum tribunal irá apoiá-las.

– Era o que eu pensava.

– A natureza humana não é sempre sábia. No lugar da sra. Samuel Harfield, eu estaria mais inclinado a fazer um apelo à sua generosidade.

– Essa é uma das coisas sobre as quais eu queria falar com o senhor. Gostaria que uma certa soma fosse destinada para essas pessoas.

– Nada a obriga.

– Sei disso.

– E eles não vão tomar essa doação com o espírito com que a está fazendo. Provavelmente vão considerar uma tentativa de suborná-los, embora não a recusem.

– Também sei disso, mas não há como evitar.

– Eu devia aconselhá-la, srta. Grey, a tirar essa ideia da cabeça.

Katherine balançou a cabeça.

– Sei que o senhor está certo, mas gostaria de dar-lhes o dinheiro mesmo assim.

– Eles vão se apoderar do dinheiro e ofendê-la ainda mais depois disso.

– Bem – disse Katherine –, deixe-os fazer o que quiserem. Nós todos temos nossas próprias maneiras de nos divertirmos. Eles são, no fim das contas, os únicos familiares da sra. Harfield, e embora a desprezassem como uma parente pobre e não prestassem atenção nela quando estava viva, me parece injusto que sejam deixados sem nada.

Ela sustentou seu ponto de vista, embora o advogado estivesse ainda relutante, e logo saiu para as ruas de Londres com a confortável convicção de que poderia gastar dinheiro livremente e fazer os planos que quisesse para o futuro. Sua primeira providência foi visitar o estabelecimento de uma famosa modista.

Uma francesa idosa e esguia, quase como uma duquesa sonhadora, a recebeu, e Katherine falou com uma certa *naïveté*.

– Quero, se possível, me colocar em suas mãos. Fui pobre a maior parte da minha vida e não sei nada sobre roupas, mas agora ganhei algum dinheiro e quero parecer realmente bem-vestida.

A francesa estava encantada. Tinha um temperamento de artista, azedado naquela manhã pela visita de uma rainha do império argentino da carne, que havia insistido em experimentar os modelos menos apropriados para seu tipo extravagante de beleza. Ela escrutinou Katherine com olhos astutos e espertos:

– Sim, sim, será um prazer. Mademoiselle tem um aspecto muito bom; para ela as linhas simples serão o melhor. Ela também é *très anglaise*. Algumas pessoas se ofenderiam se eu dissesse isso, mas mademoiselle não. *Une belle anglaise*, não há estilo mais agradável.

O comportamento de duquesa sonhadora foi subitamente deixado de lado. Ela gritou ordens para vários manequins:

– Clothilde, Virginie, rápido, queridas, o *tailleur gris clair* e o *robe de soirée "soupir d'automne"*.* Marcelle, minha filha, o vestidinho mimosa de crepe da China.

Foi uma manhã encantadora. Marcelle, Clothilde, Virginie, entediadas e zombeteiras, desfilavam lentamente, movendo-se sinuosas com a postura requintada das manequins. A duquesa parou ao lado de Katherine e fazia anotações em uma caderneta.

– Uma escolha excelente, mademoiselle. Mademoiselle tem um ótimo *goût*. Sim, de fato. Mademoiselle não poderia escolher nada melhor do que estas peças se vai, como eu suponho, para a Riviera neste inverno.

– Deixe-me ver aquele vestido de festa mais uma vez – disse Katherine –, aquele rosa e lilás.

Virginie apareceu, circulando devagar.

– Esse é o mais bonito de todos – disse Katherine, enquanto avaliava os delicados drapeados de lilás e azul-acinzentado. – Como se chama?

– *Soupir d'automne*; sim, sim esse é verdadeiramente o vestido de mademoiselle.

O que havia naquelas palavras que voltou a Katherine como um vago sentimento de tristeza depois que ela deixou a loja da modista?

"*Soupir d'automne*; esse é verdadeiramente o vestido de mademoiselle." Outono, sim, era o outono para ela. Ela que nunca conhecera primavera ou verão, e agora nunca os conheceria. Havia perdido algo que nunca poderia ser restituído. Aqueles anos de servidão em St. Mary Mead... enquanto a vida ia passando.

– Sou uma idiota – disse Katherine –, uma idiota. O que quero, afinal? Estava mais contente há um mês do que agora.

Retirou da sacola a carta que havia recebido naquela manhã de lady Tamplin. Katherine não era boba. Ela

---

* "Suspiro de outono". (N.T.)

entendeu as nuances daquela correspondência tão bem como qualquer pessoa, e não havia passado despercebida a razão para que lady Tamplin dirigisse aquela demonstração súbita de afeto a uma parenta esquecida por muito tempo. Era por proveito próprio, e não por prazer, que lady Tamplin estava tão ansiosa pela companhia da sua querida prima. Bem, por que não? Haveria vantagem para ambos os lados.

– Eu vou – disse Katherine.

Descia a Picadilly naquele momento, e entrou na Cook para encerrar o assunto de uma vez. Teve de esperar por alguns minutos. O homem com quem o balconista estava ocupado também estava indo para a Riviera. Parecia que todo mundo estava indo para lá. Bem, pela primeira vez em sua vida ela também estaria fazendo o que "todo mundo" fazia.

O homem na frente dela virou-se abruptamente, e ela deu um passo adiante. Fez o pedido ao funcionário do hotel mas, ao mesmo tempo, parte de sua mente estava ocupada com alguma outra coisa. O rosto daquele homem... era vagamente familiar. Onde o havia visto antes? De repente, lembrou-se. Fora naquela manhã, no Savoy, fora de seu quarto. Havia esbarrado nele no corredor. Que curiosa coincidência encontrá-lo duas vezes no mesmo dia. Olhou por cima do ombro, incomodada por alguma coisa que não conseguia identificar. O homem estava parado na porta, retribuindo seu olhar. Um calafrio cruzou o corpo de Katherine, uma assustadora sensação de tragédia, de catástrofe iminente...

E então afastou a impressão com o habitual bom-senso e voltou toda sua atenção para o que o funcionário do hotel estava dizendo.

Capítulo 9

Uma oferta recusada

Era muito raro Derek Kettering permitir que o mau humor o abatesse. Uma despreocupação tranquila era sua característica dominante, e já lhe havia sido vantajosa em mais de uma situação de apuro. Mesmo agora, ao deixar o apartamento de Mirelle, já havia se acalmado. Tinha necessidade de calma. O embaraço no qual se encontrava agora era mais difícil do que qualquer outro que jamais experimentara, e fatores imprevistos haviam-no complicado de tal forma que, no momento, não sabia como resolvê-lo.

Caminhou perdido em seus pensamentos. A testa estava franzida, e não havia qualquer das maneiras suaves e animadas que lhe assentavam tão bem. Várias possibilidades invadiam seus pensamentos. Sobre Derek Kettering, era necessário dizer que era menos tolo do que parecia. Cogitou vários caminhos que poderia tomar – e um em particular. Se ele recuava, era apenas momentaneamente. Situações extremas exigem medidas extremas. Havia avaliado o sogro de forma correta. Uma guerra entre Derek Kettering e Rufus Van Aldin só poderia terminar de um único jeito. Derek amaldiçoou de forma veemente o dinheiro e o poder que ele trazia. Subiu a St. James's Street, cruzou a Picadilly e caminhou rumo à Picadilly Circus. Ao passar pelos escritórios da Thomas Cook & Sons, afrouxou o passo. Prosseguiu, contudo, ainda remoendo o assunto. Por fim, sacudiu a cabeça, voltou-se bruscamente – tão bruscamente que colidiu com um casal de pedestres que vinha logo atrás – e retomou o caminho pelo qual havia vindo. Desta vez, não passou pela Cook, e sim entrou. O escritório estava relativamente vazio, e ele logo foi atendido.

– Quero ir a Nice na semana que vem. Pode me dar algumas informações?

– Em qual data, senhor?

– No dia 14. Qual é o melhor trem?

– Bem, o melhor é o que chamam de Trem Azul.* O senhor evitaria a enfadonha burocracia da alfândega em Calais.

Derek acenou com a cabeça. Sabia daquilo tudo melhor do que ninguém.

– Mas o dia 14 – murmurou o atendente – está muito próximo. O Trem Azul quase sempre está lotado.

– Veja, por favor, se há uma cabine-leito disponível – disse Derek. – Se não houver... – ele deixou a frase inacabada, com um sorriso curioso.

O atendente desapareceu por alguns minutos e então retornou.

– Está certo, *sir*. Há ainda três leitos disponíveis. Vou reservar um para o senhor. Em nome de quem?

– Pavett – disse Derek e deu seu endereço na Jermyn Street.

O atendente sacudiu a cabeça, terminou de preencher a ficha, desejou a Derek um bom-dia e voltou sua atenção para a próxima cliente.

– Quero ir a Nice... no dia 14. Não há um comboio chamado Trem Azul?

Derek voltou-se subitamente.

Coincidência – uma estranha coincidência. Lembrou-se das próprias caprichosas palavras para Mirelle: "Retrato de uma dama de olhos cinzentos. Melhor que eu nunca mais a veja de novo". Mas ele a *havia* visto de novo, e mais, ela pretendia viajar para a Riviera no mesmo dia que ele.

---

* O Trem Azul, nome que recebeu após a Segunda Guerra em virtude da cor de seus vagões, percorria o trajeto Calais – Mediterrâneo – Menton. (N.T.)

Apenas por um momento, um calafrio passou por seu corpo; era, de alguma forma, supersticioso. E ele havia dito, meio rindo, que aquela mulher lhe traria má sorte. E se... e se aquilo se provasse verdadeiro? Do umbral, ele a olhou enquanto ela falava com o atendente. Ao menos sua memória não o havia enganado. Uma senhora... Uma senhora em qualquer sentido da palavra. Não muito jovem, nem singularmente bonita. Mas tinha algo... Olhos cinzentos que talvez enxergassem demais. Enquanto cruzava a porta da rua, sabia que de alguma forma estava assustado com aquela mulher. Tinha uma sensação de fatalidade.

Voltou para seu apartamento na Jermyn Street e chamou seu secretário.

– Pegue este cheque, Pavett, e vá até a Cook, em Picadilly. Eles terão passagens reservadas no seu nome. Pague-as e traga-as para cá.

– Sim, senhor.

Pavett se retirou.

Derek dirigiu-se para uma mesinha e apanhou um punhado de cartas. As mesmas de sempre. Contas, grandes e pequenas, todas elas exigindo pagamento. O tom das cobranças ainda era educado. Derek sabia o quão brevemente aquele tom mudaria se certas notícias viessem a público.

Lançou-se, taciturno, em uma grande poltrona forrada de couro. Em um maldito buraco – era onde ele estava. Sim, um maldito buraco! E as formas de sair daquele maldito buraco não eram muito promissoras.

Pavett se fez notar com uma tossida discreta.

– Um cavalheiro quer vê-lo, *sir*, major Knighton.

– Knighton, pois sim?

Derek empertigou-se, o cenho franzido, e tornou-se subitamente alerta. Disse, em um tom de voz mais suave, quase para si mesmo:

– Knighton... Fico pensando o que pode ser agora.

– Devo... mandá-lo entrar, senhor?

O patrão concordou com um aceno. Quando Knighton entrou na sala, encontrou um anfitrião cordial e encantador à sua espera.

– Muito gentil de sua parte vir me procurar – disse Derek.

Knighton estava nervoso. Algo que os olhos atentos do outro logo notaram. A incumbência que trouxera o secretário era-lhe claramente desagradável: respondeu quase mecanicamente à conversa fácil de Derek, recusou uma bebida e, se isso era possível, suas maneiras tornaram-se mais rígidas do que antes. Ao menos foi o que Derek notara.

– Bem – ele disse, animado –, o que meu estimado sogro quer de mim? Vem em nome dele, não é mesmo?

Knighton não sorriu ao responder, com cuidado:

– Sim, venho. Eu... Eu gostaria que o sr. Van Aldin tivesse escolhido outra pessoa.

Derek ergueu as sobrancelhas com um pavor fingido.

– É tão ruim assim? Não sou de cristal, Knighton, posso assegurar.

– Não, mas isto...

Fez uma pausa. Derek o olhou de forma penetrante.

– Vamos, continue – disse, gentilmente. – Sei bem que as incumbências de meu querido sogro não são sempre prazerosas.

Knighton limpou a garganta. Falou de modo formal, em um tom de que voz que ele lutou para não mostrar constrangimento.

– Estou orientado pelo sr. Van Aldin a fazer-lhe uma oferta definitiva.

– Uma oferta?

Por um momento Derek demonstrou toda sua surpresa. As palavras iniciais de Knighton claramente não eram as que ele havia esperado. Ofereceu um cigarro a Knighton, acendeu um para si mesmo e afundou de volta na cadeira, murmurando em uma voz levemente sardônica:

– Uma oferta? Isso soa muito interessante.
– Devo prosseguir?
– Por favor. Perdoe minha surpresa, mas a mim me parece que meu querido sogro desceu um pouco do pedestal desde nossa conversa esta manhã. E descer não é algo que se espera de homens fortes, Napoleões das finanças etc. Acho que isso mostra que ele descobriu que sua posição é mais fraca do que pensava.

Knighton ouviu com educação a voz suave e zombeteira, mas não demonstrou qualquer sinal em sua fisionomia impassível. Esperou até que Derek houvesse terminado, então disse, com tranquilidade:

– Vou apresentar a proposta o mais resumidamente possível.
– Continue.

Knighton não olhou para o outro. Seu tom de voz era conciso e indiferente.

– A questão é esta: a sra. Kettering, como o senhor sabe, está prestes a dar entrada em um pedido de divórcio. Se a petição não for contestada, o senhor receberá cem mil no dia em que a sentença for confirmada.

Derek interrompeu o gesto de acender o cigarro
– Cem mil? – disse, bruscamente. – Dólares?
– Libras.

Houve um silêncio mortal por pelo menos dois minutos. Kettering ficou pensativo. Cem mil libras. Isso significava Mirelle e a continuidade de sua agradável e descuidada vida. E significava que Van Aldin sabia de alguma coisa. Van Aldin não pagaria por nada. Levantou-se e parou junto à chaminé.

– E na eventualidade de minha recusa a essa generosa oferta? – perguntou, com uma polidez fria e irônica.

Knighton fez um gesto de desprezo e disse com sinceridade.

– Posso assegurar, senhor Kettering, que é com máximo desprazer que venho aqui entregar esta mensagem.

– Está certo – disse Kettering. – Não se aflija; não é culpa sua. Mas então? Fiz uma pergunta. Pode respondê-la?

Knighton também se levantou e falou, mais relutante do que antes:

– Na eventualidade de o senhor recusar a proposta, o sr. Van Aldin pediu-me para dizer claramente que se propõe a arruiná-lo. Apenas isso.

Kettering ergueu as sobrancelhas, mas manteve sua pose leve e divertida.

– Ora, ora! Suponho que possa fazê-lo. Eu certamente não seria capaz de sustentar uma luta contra um americano de muitos milhões. Cem mil! Se vai subornar um homem, não há nada como fazê-lo por completo. Suponhamos que eu dissesse que por duzentos mil faria o que ele quer, o que aconteceria?

– Eu levaria sua mensagem de volta ao sr. Van Aldin – disse Knighton sem emoção. – Essa é a sua resposta?

– Não – disse Derek –, não é. Volte ao meu sogro e diga que ele e seus subornos podem ir para o inferno. Está claro?

– Perfeitamente – disse Knighton.

Ele levantou-se, hesitante e depois orgulhoso.

– Eu... Permita-me dizer, sr. Kettering, que estou satisfeito que o senhor tenha respondido dessa forma.

Derek não respondeu. Quando o outro deixou a sala, ele permaneceu perdido em pensamentos. Um sorriso irônico aflorou em seus lábios.

– E é isso – disse, suavemente.

Capítulo 10

No Trem Azul

– Papai!

A sra. Kettering deu pulo violento. Seus nervos não estavam completamente sob controle naquela manhã. Vestida com perfeição com um longo casaco de marta e um chapeuzinho vermelho de laca chinesa, caminhara absorta em pensamentos ao longo da plataforma abarrotada da estação Victoria, e a súbita aparição de seu pai, bem como sua efusiva saudação, tiveram um efeito inesperado sobre ela.

– Ruth. Que pulo!

– Não esperava vê-lo, papai. O senhor se despediu de mim a noite passada dizendo que tinha uma conferência esta manhã.

– E tenho – disse Van Aldin –, mas você é mais importante para mim do que qualquer conferência. Vim para dar uma última olhada em você, já que não vou vê-la de novo por algum tempo.

– É muito gentil de sua parte, papai. Gostaria que o senhor pudesse vir também.

– E o que diria se eu fosse?

O comentário era meramente uma brincadeira. Estava surpreso de ver o rápido afogueamento das bochechas de Ruth. Por um momento, quase pensou ter visto terror nos olhos dela. Ela riu de modo incerto e nervoso.

– Por um momento cheguei a pensar que o senhor falava sério – ela disse.

– Isso a teria agradado?

– É claro – ela disse com ênfase exagerada.

– Bem – disse Van Aldin –, isso é bom.

– Não é realmente por muito tempo, papai – continuou Ruth. – O senhor irá no mês que vem.

– Ah – disse Van Aldin sem emoção –, às vezes penso que irei a um desses figurões da Harley Street e ele me dirá que preciso tomar sol e mudar de ares urgentemente.

– Não seja tão preguiçoso – lamentou Ruth –, mês que vem é ainda melhor que este mês por lá. O senhor precisa resolver uma porção de coisas até lá.

– Bem, acredito que sim, suponho – disse Van Aldin, com um suspiro. – É melhor você subir a bordo desse seu trem, Ruth. Qual é o seu assento?

Ruth Kettering olhou vagamente para o comboio. À porta de um dos vagões, estava parada uma mulher alta e magra, vestida de preto – a criada de Ruth, que logo se aproximou dela.

– Pus sua mala sob o assento, madame, no caso de a senhora precisar dela. Devo pegar um cobertor para a senhora?

– Não, não, não precisa. Melhor que vá e ache seu lugar no trem agora, Mason.

– Sim, madame.

A mulher partiu.

Van Aldin entrou no trem com Ruth. Ela encontrou seu assento, e ele depositou vários papéis e revistas na mesa em frente. O assento oposto ao de Ruth já estava ocupado, e o americano lançou um olhar superficial para a passageira. Teve a impressão fugaz de um par de atraentes olhos cinzentos e de um elegante traje de viagem. Perdeu-se em uma conversa um tanto errática com Ruth, o tipo de diálogo característico daqueles que se despedem de uma pessoa prestes partir em um trem.

Logo, ao soar do apito, ele olhou para o relógio.

– Vou indo. Adeus, querida. Não se preocupe. Vou cuidar de tudo.

– Oh, papai!

Ele se virou, atento. Havia algo na voz de Ruth, algo tão inteiramente estranho ao seu comportamento habitual, que ele ficou alarmado. Era quase um choro de desespero. Ela havia feito um movimento impulsivo na sua direção, mas no minuto seguinte já era senhora de si mais uma vez.

– Até o mês que vem – disse, com cuidado.

Dois minutos depois, o trem partiu.

Ruth sentou-se, rígida, mordendo o lábio inferior e esforçando-se muito para não derramar lágrimas dos olhos desacostumados a chorar. Sentiu de súbito uma desolação horrível. Tinha uma ânsia selvagem de pular do trem e dar meia-volta antes que fosse tarde demais. Ela, tão calma, tão autoconfiante, pela primeira vez em sua vida sentia-se como uma folha soprada pelo vento. Se seu pai soubesse... O que ele diria?

Loucura! Sim, apenas isso, loucura! Pela primeira vez estava sendo levada pela emoção, levada até o ponto de precipitar-se em algo que ela mesma sabia ser incrivelmente idiota e descuidado. Era filha de Van Aldin o bastante para perceber sua própria tolice, e inteligente o bastante para condenar suas próprias ações. Mas também era filha dele em outro sentido. Tinha a mesma determinação férrea de quem obtinha o que queria e, uma vez que colocasse algo na cabeça, não mudaria de ideia. Desde a infância havia sido voluntariosa, as circunstâncias da sua vida haviam desenvolvido nela essa personalidade. Bem, a sorte estava lançada. Ela iria até o fim.

Olhou em volta, e seus olhos encontraram os da mulher sentada no lado oposto. Teve uma súbita sensação de que de alguma forma a outra havia lido sua mente. Percebeu naqueles olhos cinzentos entendimento e – sim – compaixão.

Era só uma impressão fugaz. As faces de ambas endureceram-se com polida impassibilidade. A sra. Kettering apanhou uma revista, e Katherine Grey olhou pela janela e observou a vista aparentemente infinita de ruas deprimentes e lares suburbanos.

Ruth encontrou uma crescente dificuldade em fixar a atenção na página impressa diante de si. Contra sua vontade, milhares de preocupações a oprimiam. Que tola estava sendo! Que tola havia sido! Tal como todas as pessoas frias e autossuficientes, quando perdia o autocontrole, perdia-o inteiramente. Era tarde demais... Mas seria tarde demais? Oh, se tivesse alguém com quem falar, alguém que a aconselhasse. Nunca antes havia tido tal desejo, desprezava a ideia de confiar no julgamento de qualquer outro que não ela própria, mas agora... Qual era o problema com ela? Pânico. Sim, era a melhor definição: pânico. Ela, Ruth Kettering, estava tendo um ataque de pânico completo e absoluto.

Lançou um olhar furtivo à figura no assento à sua frente. Se ao menos conhecesse alguém assim, uma criatura delicada, calma, tranquila e simpática. Era o tipo de pessoa com quem alguém poderia falar. Mas não se pode, é claro, fazer confidências a um estranho. Ruth sorriu diante da ideia. Pegou outra vez a revista. Precisava realmente se controlar. No fim das contas, havia pensado em tudo e decidira-se por livre e espontânea vontade. Que felicidade havia tido em sua vida até agora?

– Por que eu não posso ser feliz? Ninguém jamais vai descobrir nada – dizia para si mesma, impaciente.

Não parecia haver transcorrido muito tempo quando alcançaram Dover. Ruth era uma boa viajante, mas não gostava do frio, e estava feliz de alcançar o abrigo da cabine que havia reservado. Embora não admitisse, era um pouco supersticiosa, e era o tipo de pessoa que gostava de coincidências. Depois de desembarcar em Calais e de se instalar com sua dama de companhia em seu compartimento duplo no Trem Azul, dirigiu-se para o vagão-restaurante. Foi com um pequeno choque de surpresa que se encontrou sentada a uma mesa em que, no lado oposto, estava a mesma mulher com quem havia estado cara a cara momentos antes no vagão. Um tênue sorriso aflorou nos lábios de ambas.

– É uma bela de uma coincidência – disse a sra. Kettering.

– É verdade – disse Katherine –, é curioso o jeito como as coisas acontecem.

Um empregado veio até elas com a maravilhosa rapidez sempre demonstrada pela Compagnie Internationale des Wagons-Lits e serviu-lhes a sopa. Quando a omelete foi servida, as duas mulheres já conversavam de modo amigável.

– Será divino chegar à hora do crepúsculo – suspirou Ruth.

– Estou certa de que será uma sensação maravilhosa.
– Conhece bem a Riviera?
– Não, é minha primeira visita.
– Imagine só.
– Vai todos os anos, presumo?
– Praticamente. Janeiro e fevereiro em Londres são terríveis.
– Sempre vivi no campo. Não são meses muito inspiradores por lá também. Lama, na maior parte.
– E por que só decidiu viajar agora?
– Dinheiro – disse Katherine. – Por dez anos fui dama de companhia com dinheiro suficiente apenas para comprar sapatos resistentes para o campo. Agora, me foi deixada o que, para mim, parece uma fortuna, ainda que eu ouse dizer que para a senhora não pareceria tanto.
– Por que diz isso? Que não pareceria muito para mim?

Katherine riu.

– Realmente não sei. Suponho que sempre formamos impressões impensadas. Em minha mente eu a vi como uma das pessoas mais ricas deste mundo. Foi só uma impressão, posso estar enganada.

– Não, você não está errada – disse Ruth, e subitamente assumiu um ar muito grave. – Que outras impressões formou a meu respeito?

– Eu...

Ruth interrompeu, desdenhando do embaraço da outra:

– Oh, por favor, não seja tão formal. Eu quero saber. Enquanto saíamos de Victoria, olhei para você e tive uma certa sensação de que... Bem, de que entendia o que estava passando pela minha cabeça.

– Posso assegurar que não leio mentes – disse Katherine sorrindo.

– Não, mas diga-me, por favor, o que estava pensando – a impetuosidade de Ruth era tão intensa e sincera que terminou por convencê-la.

– Vou dizer, se é o que quer, mas não deve me achar impertinente. Pensei que, por alguma razão, estava angustiada, e lastimei pela senhora.

– Está certa, completamente certa. Estou em uma complicação terrível. Eu... Eu gostaria de contar-lhe algo a respeito, se me permite.

"Oh, não...", pensou Katherine consigo mesma. "É extraordinário como o mundo parece igual em toda parte. As pessoas estavam sempre me contando coisas em St. Mary Mead, e aqui é a mesma coisa, e eu na verdade não quero ouvir os problemas de ninguém!"

– Conte-me – respondeu educadamente.

Estavam terminando o almoço. Ruth engoliu o café, levantou-se e, ignorando o fato de que Katherine ainda não havia começado a sorver o seu, disse:

– Venha comigo aos meus aposentos.

Eram dois compartimentos simples com uma porta de comunicação. No segundo deles, uma senhora magra, a mesma que Katherine havia notado na estação Victoria, estava sentada muito ereta, agarrada a um grande estojo de marroquim vermelho no qual se viam as iniciais R.V.K. A sra. Kettering fechou a porta de comunicação e deixou-se cair em um assento. Katherine sentou-se ao lado dela.

— Estou com problemas e não sei o que fazer. Há um homem por quem estou apaixonada... De fato, muito apaixonada. Nós nos apaixonamos quando éramos jovens e fomos separados de maneira brutal e injusta. Agora vamos ficar juntos outra vez.

— Sim?

— Eu... Eu estou indo encontrá-lo agora. Oh! Ouso dizer que pensa que tudo isso é errado, mas não conhece as circunstâncias. Meu marido é impossível, trata-me de um modo ignominioso.

— Sim? — repetiu Katherine.

— O que me faz sentir mal é ter de enganar meu pai... Aquele que se despediu de mim hoje na estação Victoria. Quer que eu me divorcie de meu marido e, é claro, não faz ideia de que estou indo encontrar outro homem. Ele acharia isso uma tolice monumental.

— Bem, e a senhora não acha?

— Eu... acho.

Ruth Kettering baixou o olhar até suas mãos. Tremiam violentamente.

— Mas não posso recuar agora.

— Por que não?

— Eu... Já está tudo combinado, e partiria o coração dele.

— Não acredite nisso — disse Katherine vigorosamente. — Corações são bastante resistentes.

— Ele vai pensar que eu não tenho coragem nem determinação.

— A mim parece uma coisa terrivelmente tola o que vai fazer — disse Katherine —, e acho que a senhora percebe isso por si mesma.

Ruth enterrou o rosto nas mãos.

— Não sei... Não sei. Desde que deixei a estação Victoria tenho uma terrível sensação de que alguma coisa... Alguma coisa vai me acontecer muito em breve. Algo de que eu não posso escapar.

Apertou convulsivamente a mão de Katherine.

– Deve pensar que eu sou louca falando tais coisas, mas digo-lhe: eu sei que algo horrível está para acontecer.

– Não pense nisso – disse Katherine –, tente manter o controle. A senhora poderia mandar um telegrama a seu pai de Paris, se assim desejasse, e ele viria de imediato.

A outra ficou radiante.

– Sim, eu poderia fazer isso. Meu querido pai. É estranho mas... Nunca soube até hoje o quanto gosto dele.

Ela se endireitou na cadeira e secou os olhos com um lenço.

– Tenho sido bastante tola. Muito obrigada por me deixar falar com você. Não sei por que fiquei em tal estado de histeria.

Ruth levantou-se.

– Estou bem agora. Acho que eu realmente precisava apenas de alguém com quem falar. Não consigo dizer por que tenho agido de maneira tão estúpida.

Katherine se levantou também.

– Estou contente que esteja se sentindo melhor – disse, tentando fazer sua voz soar tão normal quanto possível. Estava ciente de que a consequência de um desabafo é o embaraço. Acrescentou, com bom-senso: – Devo voltar para meus aposentos.

Emergiu no corredor na mesma hora em que a criada saía pela porta ao lado. A outra lançou um olhar por sobre o ombro de Katherine, e uma expressão de intensa surpresa surgiu em sua face. Katherine se virou, mas quem quer que tivesse despertado o interesse da criada havia se recolhido para seu compartimento, e o corredor estava vazio. Katherine dirigiu-se para seu lugar, no vagão seguinte. O último compartimento se abriu enquanto ela passava e um rosto de mulher olhou para fora por um momento antes de fechar a porta de modo brusco. Era um rosto não muito fácil de esquecer, como Katherine saberia quando o visse outra vez. Um rosto bonito, oval e escuro, maquiado de uma maneira estranha e excessiva. Katherine tinha a sensação de que já o havia visto antes.

Retornou a seu próprio compartimento sem outros incidentes e sentou-se por algum tempo pensando nas confidências que lhe haviam sido feitas. Ficou a imaginar quem seria a mulher do casaco de marta e qual seria o fim de sua história.

– Se impedi alguém de agir como idiota, suponho que tenha praticado uma boa ação – pensou consigo mesma. – Mas quem sabe? Aquele é o tipo de mulher que tem sido egoísta e cabeça-dura a vida toda, e deve fazer bem a ela agir de modo um pouco diferente para variar. Oh, bem... Não acho que vá vê-la outra vez. Ela certamente não vai querer *me ver* de novo. É o que há de pior em deixar as pessoas nos contarem coisas. Nunca querem nos ver de novo.

Torceu para que não lhe destinassem à mesma mesa no jantar. Refletiu, não sem senso de humor, que seria embaraçoso para ambas. Reclinando a cabeça contra uma almofada, sentiu-se cansada e um tanto deprimida. Haviam alcançado Paris, e a lenta jornada ao redor da *ceinture**, com suas intermináveis paradas e esperas, havia sido cansativa. Quando chegaram à Gare de Lyon, ficou feliz em descer e caminhar ao longo da plataforma. A aragem fria e cortante era um refresco depois de tanto tempo no trem abafado. Observou com um sorriso que sua amiga do casaco de marta estava resolvendo o possível constrangimento do jantar à sua própria maneira. A criada estava à janela, recebendo uma cesta com alimentos.

Quando o trem partiu mais uma vez e o jantar foi anunciado por um violento retinir de campainhas, Katherine ficou muito aliviada. Desta vez, dividiu a mesa

---

* A Chemin de Fer de Petite Ceinture era uma conexão circular entre as ferrovias do anel externo da cidade de Paris. Funcionou de 1852 até os anos 1930. (N.T.)

com um tipo bastante diverso – um homem pequeno, a aparência sem dúvida estrangeira, com bigode encerado e cabeça ovalada que se inclinava para um lado. Katherine havia levado um livro para o jantar, e logo notou os olhos do homenzinho fixos sobre ele com uma espécie de brilho maravilhado.

– Vejo, madame, que a senhora tem aí um *roman policier*. Gosta desse tipo de coisa?

– Divertem-me – Katherine admitiu.

O homenzinho balançou a cabeça com um ar de compreensão total.

– Vendem bem sempre, pelo que me disseram. Por que será, hein, mademoiselle? Pergunto-lhe como um estudioso da natureza humana. Por quê?

Katherine sentia-se cada vez mais encantada.

– Talvez deem a quem os lê a ilusão de viver uma vida excitante – ela sugeriu.

Ele acenou a cabeça com gravidade.

– Sim, pode ser.

– É claro, sabe-se que tais coisas não acontecem de verdade – Katherine ia continuar, mas ele a interrompeu bruscamente.

– Às vezes, mademoiselle! Às vezes! Eu lhe digo... Aconteceram *comigo*.

Ela lançou-lhe um olhar rápido e interessado.

– Algum dia, quem sabe, a *senhora* esteja no meio de alguma aventura – ele prosseguiu. – É tudo obra do acaso.

– Não creio que seja provável – disse Katherine –, essas coisas não acontecem comigo.

Ele se inclinou para ela.

– Gostaria que acontecessem?

A pergunta a assustou, e ela segurou a respiração.

– Talvez seja fantasia de minha parte – disse o homenzinho, enquanto polia com destreza um dos garfos –, mas acho que mademoiselle tem em si um desejo ardente por acontecimentos interessantes. *Eh bien, mademoiselle,* ao longo de toda minha vida tenho observado uma coisa: "O que alguém quer, consegue!" Quem sabe? – sua face retorceu-se comicamente. – Pode conseguir mais do que espera.

– É uma profecia? – perguntou Katherine, sorrindo enquanto se retirava da mesa.

O homenzinho balançou a cabeça e declarou, pomposo:

– Nunca faço profecias. É verdade que tenho o hábito de estar sempre certo, mas não me gabo disso. Boa noite, mademoiselle, e durma bem.

Katherine percorreu o caminho de volta encantada e divertida com o seu pequeno vizinho. Passou pela porta aberta do compartimento de sua amiga e viu o condutor arrumando a cama. A dama do casaco de marta estava em pé, olhando pela janela. O segundo compartimento, como Katherine pôde ver através da porta comunicante, estava vazio, com malas e mantas amontoadas sobre o assento. A criada não estava lá.

Katherine encontrou sua própria cama feita e, como estava muito cansada, foi se deitar e apagou a luz por volta das nove e meia.

Acordou assustada, sem noção da hora. Olhando para o relógio, percebeu que ele havia parado. Um sentimento de intensa inquietação a invadiu e se fortaleceu momento a momento até que ela se levantou, enrolou-se no roupão e saiu para o corredor. O trem inteiro parecia mergulhado em sono profundo. Katherine abriu a janela e sentou-se no batente por alguns minutos, sorvendo o ar fresco da noite e tentando, em vão, acalmar seus medos inquietantes. Decidiu que iria ao fim do vagão para perguntar ao condutor a hora certa e assim poder acertar seu relógio. Encontrou, entretanto, vazio o assento do homem. Hesitou por um momento e então caminhou até o carro seguinte. Olhou para a longa linha do corredor na penumbra e viu, para sua surpresa, que um homem estava parado com a mão na porta do compartimento ocupado pela dama do casaco de marta. Quer dizer, achou que fosse o compartimento dela. Provavelmente, contudo, estava equivocada. Ele ficou ali parado por algum tempo, de costas para ela, parecendo indeciso e hesitante. Então virou-se lentamente e, com um estranho sentimento de fatalidade, Katherine o reconheceu como o mesmo homem que havia visto duas vezes antes – uma delas no corredor do Savoy Hotel e outra no escritório da Cook. Ele abriu a porta do compartimento e entrou, fechando-a atrás de si.

Uma ideia relampejou pela mente de Katherine. Poderia este ser o homem de quem a outra mulher havia falado – o homem que ela estava viajando para encontrar?

Katherine disse a si mesma que estava romanceando. Com toda probabilidade, enganara-se em relação ao compartimento.

Voltou para seu próprio vagão. Cinco minutos depois, o comboio reduziu a velocidade. Soou o longo e queixoso apito do freio e, pouco depois, o trem fez uma parada em Lyon.

Capítulo 11

Assassinato

Katherine acordou na manhã seguinte com o sol brilhando radiante. Tomou o café da manhã cedo, mas não encontrou nenhum dos seus conhecidos do dia anterior. Quando retornou para seu compartimento, ele havia sido restaurado à sua aparência diária pelo condutor, um homem moreno de bigodes escorridos e rosto melancólico.

– Madame tem sorte – ele disse. – O sol brilha. É sempre um grande desapontamento para os passageiros quando chegam em uma manhã cinzenta.

– Eu ficaria desapontada, com certeza – disse Katherine.

O homem se preparou para partir e disse:

– Estamos um tanto atrasados, madame. Eu a avisarei pouco antes de chegarmos a Nice.

Katherine concordou com um meneio de cabeça. Sentou-se à janela, arrebatada pelo panorama ensolarado. As palmeiras, o azul profundo do mar, o amarelo brilhante das mimosas tinham todo o apelo da novidade para a mulher que por catorze anos havia conhecido apenas os invernos escuros da Inglaterra.

Quando chegaram a Cannes, Katherine desceu e caminhou pela plataforma. Estava curiosa a respeito da dama do casaco de marta, e olhou para as janelas da cabine dela. As persianas ainda estavam cerradas – as únicas em todo o comboio. Katherine pensou um pouco e, quando voltou ao trem, passou pelo corredor e notou que aqueles dois compartimentos estavam trancados e com as venezianas fechadas. A dama do casaco de marta claramente não se levantava cedo.

Logo o condutor veio até ela e disse que em alguns minutos o trem aportaria em Nice. Katherine deu-lhe uma gorjeta; o homem agradeceu, mas ainda demorou-se. Havia algo estranho nele. Katherine, que havia a princípio imaginado que a gorjeta não havia sido suficiente, agora estava convencida de que alguma coisa mais séria acontecia. Sua face estava com uma palidez doentia e ele tremia de cima a baixo, parecendo que havia tomado o maior susto de sua vida. Olhou-a com curiosidade e disse, abruptamente:

– Madame vai me desculpar, mas está sendo esperada por amigos em Nice?

– Provavelmente – disse Katherine. – Por quê?

Mas o homem apenas sacudiu a cabeça, murmurou algo que Katherine não conseguiu entender e se afastou, não reaparecendo até que o trem parasse na estação e ele descarregasse os pertences da moça através da janela.

Katherine ficou parada por um momento na plataforma, parecendo perdida, mas um jovem claro, de rosto ingênuo, veio até ela e disse, um tanto hesitante:

– Srta. Grey, não?

Katherine disse que sim, o rapaz sorriu para ela um riso angelical e se apresentou:

– Sou Chubby, a srta. sabe... marido de lady Tamplin. Espero que ela tenha falado de mim, mas talvez tenha esquecido. Tem seu *billet de bagages*? Perdi o meu quando vim para cá este ano, e não imagina o rebuliço que fizeram por causa disso.

Katherine entregou o bilhete e já estava seguindo atrás dele quando uma voz gentil e insidiosa murmurou em seu ouvido.

– Um momentinho, madame, se me dá licença.

Katherine se virou e viu um indivíduo que compensava a insignificância da estatura com a grande quantidade de galões dourados no uniforme.

O indivíduo explicou: havia certas formalidades. Madame teria, talvez, a gentileza de acompanhá-lo. Os regulamentos da polícia... Ele ergueu os braços: absurdos, sem dúvida, mas existiam.

O sr. Chubby Evans ouviu com um entendimento muito limitado; seu francês era péssimo. Era um desses leais patriotas britânicos que, tendo se estabelecido em um país estrangeiro, ressentiam-se fortemente dos seus habitantes originais.

– Coisa de franceses – murmurou. – Sempre prontos a criar um problema bobo. Mas nunca atacaram ninguém na estação antes, eu acho. É algo realmente novo. Suponho que deva ir.

Katherine partiu com seu guia. Um tanto para sua surpresa, ele a conduziu a um ramal para onde havia sido desviado um vagão do trem que partira. Convidou-a para subir e, precedendo-a através do corredor, segurou a porta de um dos compartimentos. Dentro, havia um oficial de aparência pomposa e, com ele, um ser desinteressante que parecia um escrevente. O personagem de aparência pomposa se ergueu polidamente, fez uma mesura para Katherine e disse:

– Queira nos desculpar, madame, mas há certas formalidades a serem cumpridas. Fala francês, creio?

– O suficiente, eu acho, monsieur – respondeu Katherine naquele idioma.

– Muito bem. Por favor, sente-se, madame. Eu sou o sr. Caux, comissário de polícia – estufou o peito com um ar presunçoso, e Katherine tentou parecer suficientemente impressionada.

– Deseja ver meu passaporte? – ela perguntou. – Aqui está.

O comissário lançou-lhe um olhar arguto e deu um leve grunhido.

– Obrigado, madame – disse, tomando o passaporte das mãos dela. A seguir, pigarreou. – Mas o que realmente desejo são algumas informações.

– Informações?

O comissário sacudiu a cabeça devagar.

– Sobre uma dama que veio a ser sua companheira de viagem. A senhora almoçou com ela ontem.

– Temo que não possa dizer nada sobre ela. Conversamos sobre a comida, mas é uma completa estranha para mim. Nunca a vi antes.

– E, ainda assim – disse o comissário, ríspido –, foi até o compartimento dela após o almoço e sentou-se lá conversando com ela por algum tempo?

– Sim – disse Katherine –, é verdade.

O comissário lançou-lhe um olhar de encorajamento. Parecia esperar que ela dissesse mais alguma coisa.

– Então, madame?

– Sim, monsieur? – disse Katherine.

– Poderia, talvez, me dar uma ideia geral dessa conversa?

– Poderia – disse Katherine –, mas neste momento não vejo nenhuma razão para fazê-lo.

De um modo um tanto britânico, ela estava irritada. Esse oficial estrangeiro parecia impertinente.

– Nenhuma razão? – bradou o comissário. – Oh, sim, madame, eu posso garantir que há uma razão.

– Então talvez o senhor devesse revelá-la.

Pensativo, o comissário esfregou o queixo sem falar nada por algum tempo.

– Madame – ele disse, enfim –, a razão é muito simples. A dama em questão foi encontrada morta em seu compartimento esta manhã.

– Morta! – arfou Katherine. – E o que foi? Ataque do coração?

– Não – disse o comissário, com uma voz meditativa e sonhadora. – Não, ela foi assassinada.

– Assassinada! – gritou Katherine.

– Vê agora, madame, por que estamos ansiosos por qualquer informação que possamos obter?

– Mas certamente a criada...

– A criada desapareceu.

– Oh – Katherine fez uma pausa para organizar seus pensamentos.

– Uma vez que o condutor viu a senhora falando com ela em seu compartimento, ele muito naturalmente reportou o fato à polícia, e eis por que, madame, nós a detivemos, na esperança de obter alguma informação.

– Sinto muito – disse Katherine. – Eu sequer sei o nome dela.

– O nome dela era Kettering. Sabemos disso pelo passaporte e pelas etiquetas na bagagem. Se nós...

Ouviu-se uma batida na porta do compartimento. O sr. Caux franziu as sobrancelhas e abriu-a cerca de quinze centímetros.

– O que é? – disse peremptoriamente. – Não posso ser perturbado.

A cabeça oval do companheiro de jantar de Katherine apareceu na abertura. Em sua face havia um sorriso radiante.

– Meu nome – ele disse – é Hercule Poirot.

– Não – o comissário balbuciou –, não *o* Hercule Poirot...

– Ele mesmo – disse Poirot. – Lembro-me de encontrá-lo uma vez, monsieur Caux, na Sûreté em Paris, embora sem dúvida o senhor tenha esquecido...

– De modo algum, monsieur, de modo algum – declarou o comissário entusiasticamente. – Mas entre, eu suplico. O senhor sabe desse...?

– Sim, sei – disse Hercule Poirot. – Vim para ver se posso ser de alguma ajuda.

– Seria uma honra – respondeu o comissário prontamente. – Deixe-me apresentá-lo, monsieur Poirot, a... – ele consultou o passaporte que ainda tinha na mão – a madame... ahn... mademoiselle Grey.

Poirot sorriu para Katherine.

– É estranho, não – ele murmurou –, que minhas palavras tenham se tornado realidade tão rápido.

– Mademoiselle, infelizmente, pôde nos dizer muito pouco – disse o comissário.

– Estava explicando – disse Katherine – que aquela pobre dama era uma completa estranha para mim.

Poirot meneou a cabeça.

– Mas ela falou com a senhorita, não falou? – ele disse gentilmente. – Formou sobre ela uma impressão, não é?

– Sim – disse Katherine pensativa –, suponho que sim.

– E essa impressão foi...?

– Sim, mademoiselle – o comissário debruçou-se sobre a mesa –, deixe-nos por favor ouvir suas impressões.

Katherine sentou-se, revolvendo a coisa toda em sua mente. Ela se sentia como se de algum modo estivesse traindo uma confidência, mas, com a palavra "assassinato" tinindo em seus ouvidos, não ousaria manter nada oculto. Muito poderia depender disso. Então, o mais próximo que pôde, repetiu palavra por palavra a conversa que havia tido com a mulher morta.

– Interessante – disse o comissário, lançando um olhar para o outro. – E então, monsieur Poirot, interessante, não? Se é que tem alguma coisa a ver com o crime... – ele deixou a frase inacabada.

– Suponho que não poderia ser suicídio – disse Katherine, um tanto em dúvida.

– Não – disse o comissário –, não poderia ser suicídio. Ela foi estrangulada com um pedaço de corda preta.

– Oh! – Katherine estremeceu.

O sr. Caux afastou as mãos em um gesto de desculpas.

– Sim, muito desagradável. Acho que nossos ladrões de trem são mais brutais do que os de seu país.

– É horrível.

– Sim, sim – sua voz era suave e compungida –, mas tem grande coragem, mademoiselle. Ao menos, tão logo a vi, disse para mim mesmo: "Mademoiselle tem muita coragem". É por isso que eu vou pedir que faça algo mais... algo penoso, mas asseguro que muito necessário.

Katherine olhou para ele, apreensiva. Ele afastou as mãos outra vez.

— Vou pedir que mademoiselle faça a gentileza de me acompanhar até o próximo compartimento.

— Eu preciso? — perguntou Katherine em um tom de voz baixo...

— Alguém deve identificá-la — disse o comissário —, e uma vez que a criada desapareceu... — pigarreou em tom significativo — parece que é a única pessoa que a viu a maior parte do tempo desde que ela entrou no trem.

— Muito bem — disse Katherine, tranquila. — Se é necessário...

Levantou-se. Poirot lhe deu um leve aceno de aprovação e disse:

— Mademoiselle é ponderada. Posso acompanhá-los, monsieur Caux?

— Será uma honra, meu caro monsieur Poirot.

Saíram para o corredor, e o sr. Caux destrancou a porta do compartimento da mulher morta. As persianas ao fundo haviam sido entreabertas para permitir a entrada de luz. A vítima jazia no leito, à esquerda, em uma posição tão natural que alguém poderia pensar que dormia. As roupas de cama haviam sido estendidas sobre ela, e sua cabeça fora virada para a parede, de modo que se viam apenas os cachos ruivos. Muito gentilmente, o sr. Caux pousou a mão sobre o ombro dela e virou o corpo, e a face se tornou visível. Katherine recuou e enterrou as unhas nas palmas das mãos. Uma pancada violenta havia desfigurado as feições quase além do reconhecimento. Poirot fez uma observação curiosa:

— Quando isto aconteceu? — ele perguntou. — Antes ou depois da morte?

— O legista diz que depois — disse o sr. Caux.

— Estranho — disse Poirot, franzindo as sobrancelhas. Virou-se para Katherine: — Seja valente, mademoiselle; olhe bem para ela. Tem certeza de que esta é a mulher com quem falou no trem ontem?

Katherine tinha nervos resistentes. Forçou-se a olhar longa e seriamente para a figura deitada. Então inclinou-se e pegou a mão da mulher morta.

– Tenho certeza – respondeu, por fim –: o rosto está muito desfigurado para ser reconhecido, mas o porte e o cabelo são os mesmos, e, além disso, enquanto estava falando com ela, notei isto – disse, apontando para uma pequena verruga no pulso da morta.

– *Bon* – aprovou Poirot. – É uma excelente testemunha, mademoiselle. Parece não haver, então, dúvida quanto à identidade, mas é estranho, ainda assim – franziu o olhar na direção da morta com um ar de perplexidade.

O sr. Caux encolheu os ombros e sugeriu:

– O assassino estava transtornado pela raiva, sem dúvida.

– Se ela tivesse sido nocauteada pelo golpe, seria compreensível – cismou Poirot –, mas o homem que a estrangulou esgueirou-se por trás e a apanhou desprevenida. Um ruído abafado... um gorgolejo... é tudo o que se ouviria, e então, depois, o golpe esmagador na face. Por quê? Tinha esperança de que se a face estivesse irreconhecível ela não seria identificada? Ou a odiava tanto que não pôde resistir a dar aquele golpe mesmo depois de ela estar morta?

Katherine estremeceu, e ele se voltou para ela gentilmente.

– Não permita que eu a aflija. Para mademoiselle tudo isto é muito novo e terrível. Para, mim, oh, céus, não é novidade. Peço a ambos mais um momento.

Encostaram-se à porta assistindo enquanto Poirot percorria rapidamente o compartimento. Observou as roupas da mulher, dobradas com perfeição aos pés da cama, o grande casaco de pele que pendia de um gancho e o pequeno chapéu de laca vermelha jogado sobre o cabide. Depois, passou para o compartimento adjacente, aquele no qual Katherine havia visto a aia sentada. Aqui a cama não havia sido arrumada. Três ou quatro mantas estavam empilhadas frouxamente sobre o assento; havia uma caixa de chapéu e um par de malas. Virou-se de chofre para Katherine e disse:

– A senhorita esteve aqui ontem. Vê alguma coisa diferente? Algo faltando?

Katherine olhou com cuidado ao redor de ambos os compartimentos e disse:

– Sim. Está faltando algo. Um estojo de marroquim escarlate. Trazia as iniciais "R.V.K.". Poderia ser um estojo de toucador pequeno ou uma caixa de joias grande. Quando o vi, estava com a criada.

– Ah – disse Poirot.

– Mas certamente... – disse Katherine – eu, é claro, não sei nada a respeito de tais coisas, mas certamente me parece muito simples, se a criada e a caixa de joias estão sumidas...

– Quer dizer que a criada era a ladra? Não, mademoiselle, há uma razão muito boa contra essa hipótese.

– Qual?

– A aia desembarcou em Paris.

O comissário virou-se para Poirot:

– Gostaria que ouvisse pessoalmente a história do condutor – murmurou em tom confidencial. – É muito sugestiva.

– Mademoiselle sem dúvida gostaria de ouvi-la também – disse Poirot –, se o senhor não se opõe, *monsieur le commissaire*...

– Não – disse o comissário, que claramente se opunha muito. – Não, claro que não, monsieur Poirot, se assim quiser. Terminamos aqui?

– Acho que sim. Um minutinho.

Poirot havia remexido as mantas, levado uma até a janela, e agora a olhava, retirando algo com seus dedos.

– O que é? – perguntou o sr. Caux, atentamente,

– Quatro fios de cabelo ruivo – inclinou-se sobre a mulher morta. – Sim, são da cabeça de madame.

– E o que tem? Vê importância neles?

Poirot deixou a manta cair no assento.

– O que é importante? O que não é? Não se pode dizer neste estágio. Mas devemos examinar cada detalhe cuidadosamente.

Voltaram para o primeiro compartimento, e logo o condutor do vagão chegou para ser interrogado.

– Seu nome é Pierre Michel? – disse o comissário.

– Sim, *monsieur le comissaire*.

– Gostaria que repetisse para este cavalheiro – disse, apontando para Poirot – a história que me contou sobre o que aconteceu em Paris.

– Muito bem, *monsieur le comissaire*. Depois que deixamos a Gare de Lyon, fui fazer as camas, pensando que madame estaria no jantar. Mas ela pedira uma cesta com comida no compartimento, e me disse que havia sido obrigada a deixar a criada em Paris, portanto eu só precisaria arrumar um leito. Levou seu cesto para o compartimento adjacente e sentou-se lá enquanto eu fazia a cama, e disse que não gostaria de ser despertada cedo pela manhã, que gostaria de dormir. Eu disse que havia compreendido, e ela me desejou "boa noite".

– Você não entrou no compartimento adjacente?

– Não, monsieur.

– Então não notou se havia um estojo de marroquim vermelho no meio da bagagem dela.

– Não, monsieur, não notei.

– Seria possível para um homem esconder-se no compartimento adjacente?

O condutor refletiu e disse:

– A porta estava semiaberta. Se um homem estivesse em pé atrás da porta, eu provavelmente não conseguiria vê-lo, mas ele estaria, é claro, perfeitamente visível para a madame depois que ela entrou.

– Isso mesmo – disse Poirot. – Há algo mais que gostaria de nos contar?

– Acho que é tudo, monsieur. Não recordo de nada mais.

– E esta manhã? – instigou Poirot.

– Conforme madame havia solicitado, não a perturbei. Só em Cannes ousei bater à porta. Não obtendo resposta, eu a abri. A senhora parecia estar dormindo. Toquei em seu ombro para acordá-la, e então...

– E então você viu o que havia acontecido – completou Poirot. – *Très bien*. Acho que já sei tudo o que gostaria de saber.

– Espero, *monsieur le comissaire*, que eu não venha a ser culpado de nenhuma negligência – disse o homem, choroso. – Um caso desses acontecendo no Trem Azul! É horrível.

– Acalme-se – disse o comissário. – Tudo será feito para manter o caso o mais discreto possível, pelo interesse da Justiça. Não o considero culpado de qualquer negligência.

– E *monsieur le comissaire* vai relatar isso à companhia?

– Mas certamente, certamente – disse o sr. Caux, com impaciência. – Será feito agora.

O condutor saiu.

– De acordo com as evidências médicas – disse o comissário –, a senhora provavelmente estava morta antes de o trem alcançar Lyon. Quem, então, foi o assassino? Pelo relato de mademoiselle, parece claro que em algum ponto da jornada ela iria encontrar esse homem de quem falou. O ato de se livrar da criada parece significativo. Teria o homem tomado o trem em Paris, e ela o ocultado no compartimento adjacente? Se foi assim, podem ter discutido, e ele pode tê-la matado em um acesso de raiva. Esta é uma possibilidade. A outra, e a mais provável para mim, é que o atacante foi um ladrão de trem viajando no comboio: roubou os compartimentos ao longo do corredor, despercebido pelo condutor, matou-a e fugiu com o estojo de marroquim vermelho, que sem dúvida continha joias de algum valor. Em qualquer das hipóteses, deixou o trem em Lyon, e nós já telegrafamos para a estação de lá para que nos informe todos os detalhes de qualquer um que tenha sido visto deixando o trem.

– Ou ele poderia ter vindo até Nice – sugeriu Poirot.

– Poderia, concordou o comissário, mas teria sido uma ação bastante ousada.

Poirot ficou em silêncio por algum tempo e então disse:

– Na segunda hipótese, pensa que o homem era um ladrão de trens comum?

O comissário sacudiu os ombros.

– Depende. Devemos pôr as mãos na criada. É possível que ela esteja com a caixa de marroquim vermelho. Se é assim, então o homem de quem mademoiselle ouviu a vítima falar está envolvido no caso, e é um crime passional. Pessoalmente, penso que a solução de um ladrão de trem é mais plausível. Estes bandidos têm se tornado bastante audaciosos ultimamente.

Poirot olhou de repente para Katherine e disse:

– E mademoiselle? Não ouviu ou viu nada durante a noite?

– Nada – disse Katherine.

Poirot se voltou para o comissário.

– Não precisamos reter mademoiselle aqui por mais tempo – sugeriu.

O outro anuiu.

– Vai nos deixar seu endereço? – ele disse.

Katherine informou a ele o nome da *villa* de lady Tamplin. Poirot fez-lhe uma breve reverência.

– Permite que eu a veja de novo, mademoiselle? – disse. – Ou tem tantos amigos aqui que seu tempo estará tomado?

– Ao contrário. Terei muito tempo livre, e ficaria encantada em vê-lo de novo.

– Excelente – emendou Poirot, e deu a ela um amigável aceno de cabeça. – Este será um *roman policier à nous*. Investigaremos este caso juntos.

Capítulo 12

Na Villa Marguerite

– Então você esteve realmente no centro de tudo – disse lady Tamplin com inveja. – Minha querida, que emocionante! – arregalou muito os olhos de porcelana azul e deu um breve suspiro.

– Um assassinato de verdade – disse o sr. Evans com satisfação maliciosa.

– É claro que Chubby não faz a mínima ideia de algo do gênero – continuou lady Tamplin –; ele simplesmente nunca poderia imaginar por que a polícia queria falar com você. Minha cara, que oportunidade! Acho, você sabe... Sim, eu certamente acho que algo deve ser feito disso.

Uma expressão calculista desfez a ingenuidade dos olhos azuis.

Katherine sentiu-se levemente desconfortável. Estavam terminando o almoço, e ela olhou para as três pessoas sentadas ao redor da mesa. Lady Tamplin, cheia de planos pragmáticos, sr. Evans, sorrindo com cândida aprovação, e Lenox, com um estranho sorriso torto no rosto moreno.

– Que sorte maravilhosa – murmurou Chubby. – Queria ter podido ir com você e visto todas as evidências – seu tom de voz era melancólico e infantil.

Katherine não disse nada. A polícia não havia feito nenhuma exigência de confidencialidade, e claramente não era possível suprimir os fatos ou tentar ocultá-los de sua anfitriã. Mas ela teria preferido que sim.

– Sim – disse lady Tamplin, saindo subitamente de seu devaneio. – Acho mesmo que alguma coisa deve ser feita. Um breve relato, escrito com engenho. Um testemunho ocular, com um toque feminino. "De como eu conversei com a mulher morta – sem saber...", esse tipo de coisa, você sabe.

– Que asneira! – disse Lenox.

– Você nem faz ideia – disse lady Tamplin em um tom de voz suave e pesaroso – do quanto os jornais pagariam por um bafafá desses. Escrito, é claro, por alguém de posição social irrepreensível. Você não gostaria de fazer isso você mesma, ouso dizer, Katherine querida, mas apenas me dê o esqueleto da história e eu *montarei* para você. O sr. De Haviland é meu amigo próximo. Temos um acordo... Um homem absolutamente encantador... Não como a maioria dos repórteres. O que lhe parece a ideia, Katherine?

– Prefiro não fazer nada do tipo – disse Katherine, em tom áspero.

Lady Tamplin ficou um tanto desconcertada com a recusa intransigente. Suspirou e voltou à carga para conseguir mais detalhes.

– Uma mulher muito atraente, você disse? Fico imaginando como seria. Não ouviu o nome dela?

– Foi mencionado – Katherine admitiu –, mas não consigo lembrar. Estava bastante abalada.

– Posso imaginar – disse o sr. Evans –; deve ter sido um choque brutal.

É duvidoso se Katherine, mesmo que houvesse lembrado do nome, admitiria tal fato. O interrogatório impiedoso de lady Tamplin já a impacientava. Lenox, que à sua maneira era observadora, notou, e se ofereceu para levar Katherine para ver seu quarto no andar de cima. Deixou-a lá, comentando gentilmente, antes de sair:

– Não se incomode com minha mãe. Se pudesse, ganharia alguns trocados às custas da própria avó moribunda.

Lenox desceu para encontrar a mãe e o padrasto discutindo impressões sobre a recém-chegada.

— Apresentável — disse lady Tamplin —, bastante apresentável. Suas roupas são boas. Aquele modelo cinzento é o mesmo que Gladys Cooper* usou em *Palmeiras no Egito*.

— Reparou nos olhos dela? — interrompeu o sr. Evans.

— Esqueça os olhos dela, Chubby — disse lady Tamplin, rude. — Estamos discutindo coisas que realmente importam.

— Oh, certo — disse o sr. Evans, e recolheu-se em seu silêncio.

— Ela não me parece muito... maleável — disse lady Tamplin, um tanto hesitante em escolher a palavra certa.

— Tem todos os instintos de uma dama, como dizem nos livros — disse Lenox, arreganhando os dentes.

— Mentalidade estreita — murmurou lady Tamplin. — Inevitável sob as circunstâncias, presumo.

— Espero que você dê o melhor de si para alargá-la — comentou Lenox com malícia —, mas terá trabalho à toa. Agora mesmo, reparou, ela fincou as patas, levantou as orelhas e empacou.

— De qualquer modo — disse lady Tamplin esperançosa —, ela não me parece egoísta. Certas pessoas, quando põem a mão em dinheiro, parecem dar a ele uma importância indevida.

— Oh, não terá dificuldade em impressioná-la para o que quer — disse Lenox —, e, no fim das contas, isso é tudo o que importa, não é? É para isso que ela está aqui.

— Ela é minha prima — disse lady Tamplin, com dignidade.

— Prima, é? — disse o sr. Evans, acordando. — Suponho que eu posso chamá-la de Katherine, não?

---

* Gladys Cooper (1888-1971), atriz com carreira consolidada no teatro inglês, destacou-se no cinema por dezenas de papéis como coadjuvante em grandes produções como *Rebecca, a mulher inesquecível* (1940), *A canção de Bernadette* (1943) e *My Fair Lady* (1964) — todos posteriores ao período em que esta história se passa. (N.T.)

– Não tem importância alguma a maneira como você a chame, Chubby – disse lady Tamplin.

– Bom – disse o sr. Evans –, então eu a chamarei assim. Acha que ela joga tênis? – ele acrescentou, esperançoso.

– É claro que não – disse lady Tamplin. – Ela era dama de companhia, eu já lhe disse. Damas de companhia não jogam tênis... ou golfe. Talvez joguem críquete, mas sempre soube que passam a maior parte de seus dias enrolando lã e lavando os cães.

– Oh, céus! – disse o sr. Evans. – É verdade?

Lenox deslizou outra vez escada acima até o quarto de Katherine e perguntou, de forma protocolar:

– Precisa de ajuda?

Diante da negativa de Katherine, Lenox sentou-se na borda da cama e olhou pensativa para a hóspede.

– Por que veio? – ela disse, por fim. – Nos visitar, quero dizer. Não somos seu tipo de gente.

– Oh, estou ansiosa para ser apresentada à sociedade.

– Não seja estúpida – disse Lenox, prontamente, detectando a centelha de um sorriso. – Sabe muito bem o que quero dizer. Você não é nem um pouco o que achei que seria. Digo, você *tem* algumas roupas bem decentes – ela suspirou. – Roupas não caem bem em mim. Nasci desajeitada. É uma pena, porque eu adoro roupas.

– Também adoro – disse Katherine. – Mas não me tem sido útil meu amor por elas. Acha esta bonita?

Ela e Lenox discutiram vários modelos com fervor artístico.

– Gosto de você – disse Lenox subitamente. – Vim avisá-la para não se deixar levar por minha mãe, mas acho que não há necessidade. Você é terrivelmente sincera e correta e todas aquelas coisas esquisitas, mas não é boba. Inferno! O que é agora?

A voz de lady Tamplin, vinda do hall, chamava, melancólica.

– Lenox, Derek telefonou agora mesmo. Quer vir jantar aqui esta noite. Tudo bem? Quero dizer, não temos nada difícil, como codornizes, temos?

Lenox a tranquilizou e voltou para o quarto de Katherine com o rosto parecendo mais brilhante e menos taciturno.

– Estou contente que o velho Derek esteja vindo – ela disse. – Vai gostar dele.

– Quem é Derek?

– É o filho de lorde Leconbury, casado com uma ricaça americana. As mulheres são simplesmente loucas por ele.

– Por quê?

– Oh, as razões de sempre: aparência muito boa e caráter muito ruim. Todas perdem a cabeça por ele.

– Você também?

– Às vezes sim – disse Lenox –, e às vezes acho que eu gostaria de me casar com um bom cura e viver no campo e plantar uma horta – fez uma pausa, e então acrescentou –: um cura irlandês seria o melhor, e então eu poderia caçar.

Após algum tempo ela retornou ao tema anterior:

– Há algo estranho em Derek. Toda aquela família é um pouco biruta... Apostadores inveterados, você sabe. Nos velhos tempos costumavam apostar as esposas e as propriedades e fazer coisas até mais audaciosas só pelo prazer do jogo. Derek daria um perfeito salteador de estrada, afável e alegre, com as maneiras certas – ela foi até a porta. – Bom, desça quando estiver à vontade.

Deixada só, Katherine se pôs a pensar. Até o momento, sentia-se desconfortável e incomodada com o que havia à sua volta. O choque da descoberta no trem e a recepção da notícia por seus novos amigos abalaram sua suscetibilidade. Pensou longa e francamente a respeito da mulher assassinada. Havia sentido pena de Ruth, mas não podia, com honestidade, dizer que havia gostado dela.

Divisara muito bem o egoísmo implacável que era a tônica daquela personalidade, e aquilo a repelira.

Considerara divertida mas um pouco ofensiva a maneira fria como a outra a dispensara quando já não tinha mais utilidade. Katherine tinha certeza de que Ruth havia chegado a alguma decisão, mas só podia imaginar que decisão seria essa. Qualquer que fosse, a morte a havia alcançado e tornado todas as decisões sem sentido. Estranho que tivesse de ser assim, e que um crime brutal devesse ser o fim da fatídica jornada. Mas de súbito Katherine se lembrou de um pequeno detalhe que talvez devesse ter contado à polícia – um fato que havia escapado por um momento de sua memória. Era de alguma importância? Pensou ter visto um homem entrar naquele compartimento em particular, mas percebera que poderia facilmente ter se enganado. Devia ser o compartimento ao lado, e com certeza o homem em questão não era nenhum ladrão de trem. Recordava-se dele tão claramente quanto do fato de que o vira naquelas duas ocasiões anteriores – uma no Savoy e uma no escritório da Cook. Não, sem dúvida havia se equivocado. Ele não havia ido ao compartimento da mulher morta, e talvez fosse melhor ela não ter dito nada à polícia. Poderia ter provocado um dano incalculável.

Desceu para se juntar aos outros no terraço do lado de fora. Através dos ramos de mimosa, olhou para o azul do Mediterrâneo e, enquanto ouvia distraída o tagarelar de lady Tamplin, sentiu-se satisfeita por estar ali. Era bem melhor do que St. Mary Mead.

Naquela noite ela pôs o vestido chamado *Soupir d'automne* e, depois de sorrir para seu reflexo no espelho, desceu as escadas sentindo pela primeira vez em sua vida uma débil sensação de timidez.

A maioria dos convidados havia chegado, e, uma vez que barulho era essencial para as festas de lady Tamplin, o ruído era ensurdecedor. Chubby correu até Katherine, colocou uma bebida em sua mão e tomou-a sob as asas.

– Oh, aí está você Derek – gritou lady Tamplin, enquanto a porta se abria para receber o último convidado. – Agora podemos enfim comer alguma coisa. Estou faminta.

Katherine olhou através da sala. Estava chocada. Então este... era Derek. Percebeu que não estava surpresa. Sempre soube que um dia viria a encontrar o homem a quem vira três vezes por uma tão curiosa cadeia de coincidências. Pensou, também, que ele a havia reconhecido, pois interrompeu abruptamente o que estava dizendo para lady Tamplin e só continuou com o que pareceu grande esforço. Dirigiram-se para o salão de jantar, e Katherine descobriu-se em um lugar ao lado do dele. Ele se virou com um sorrido vívido.

– Sabia que a encontraria em breve – comentou. – Mas nunca sonhei que seria aqui. Tinha de ser, sabe? Uma vez no Savoy e uma vez na Cook... Não há duas vezes sem uma terceira. Não diga que não se lembra de mim ou que nunca me notou. Insisto que de qualquer modo fingiu que reparava em mim.

– Oh, eu reparei – disse Katherine –, mas esta não é a terceira vez, é a quarta. Eu o vi no Trem Azul.

– No Trem Azul! – Algo indefinível aflorou em sua postura, mas ela não pôde dizer o que foi. Era como se ele houvesse recebido um choque ou um revés. Disse com cuidado: – Qual foi o rebuliço esta manhã? Alguém morreu, não?

– Sim – disse Katherine devagar –, alguém morreu.

– Não se deve morrer em um trem – comentou Derek, impertinente. – Acredito que isso causa toda sorte de complicações legais e internacionais, e dá ao trem uma desculpa para chegar ainda mais atrasado do que de costume.

– Sr. Kettering – uma corpulenta senhora americana, que estava sentada no lado oposto, inclinou-se e falou com ele com o deliberado sotaque de sua gente. – Sr.

Kettering, eu creio que se esqueceu de mim, e eu o tinha por um homem perfeitamente amável.

Derek se inclinou para frente para responder e Katherine sentou-se quase estupefata.

Kettering! Esse era o nome, claro! Lembrava-se agora... mas que situação estranha e irônica! Aqui está o homem que ela havia visto entrar no compartimento da esposa na noite passada, que a havia deixado viva e bem e que agora estava sentado em um jantar perfeitamente ignorante do destino que havia se abatido sobre ela. Disso não havia dúvida. Ele não sabia.

Um criado inclinou-se para Derek, entregando-lhe um bilhete e murmurando em seu ouvido. Ele pediu licença a lady Tamplin, abriu-o e uma expressão de completo assombro assomou à sua face enquanto lia; olhou para a anfitriã:

– É a coisa mais extraordinária. Digo... Rosalie, temo que terei de deixá-los. O chefe de polícia deseja me ver de imediato. Nem posso imaginar por quê.

– Seus pecados o encontraram – comentou Lenox.

– Deve ser – disse Derek –, provavelmente algum inconveniente absurdo, mas suponho que eu deva acorrer até a prefeitura. Como se atreve esse camarada a me retirar de um jantar? Deve ser algo mortalmente sério para justificar a ousadia – e ele riu enquanto afastava sua cadeira e se erguia para deixar a sala.

Capítulo 13

Van Aldin recebe um telegrama

Na tarde de 15 de fevereiro um nevoeiro denso e amarelado se abatera sobre Londres. Rufus van Aldin estava na sua suíte no Savoy, tentando compensar as condições atmosféricas com trabalho dobrado. Knighton estava satisfeito. Havia encontrado dificuldades ultimamente para fazer seu empregador se concentrar nos assuntos em pauta. Nas vezes em que se atrevera a insistir, Van Aldin o desencorajara com palavras ásperas. Mas agora Van Aldin parecia estar se lançando ao trabalho com energia redobrada, e o secretário aproveitou a oportunidade. Sempre diplomático, o manipulava tão discretamente que Van Aldin sequer suspeitava.

Mas no meio daquela absorção pelos assuntos de negócios, algo envenenava a mente do milionário. Um comentário de Knighton, feito casualmente pelo secretário, havia iniciado tudo. Agora inflamava-se despercebido, tomando aos poucos consciência de Van Aldin até que, enfim, apesar de todos os esforços, teve de ceder à insistência.

Ouviu o que Knighton dizia com seu ar costumeiro de atenção severa, mas na realidade nem uma palavra havia penetrado em sua mente. Sacudiu a cabeça automaticamente, entretanto, e o secretário voltou a atenção para outro papel. Enquanto punha em ordem a papelada, o chefe falou:

– Você se importaria de me dizer aquilo de novo, Knighton?

Por um momento, Knighton ficou perdido.

– O senhor se refere a isto? – apanhou um relatório da companhia redigido em caligrafia apertada.

— Não, não — respondeu Van Aldin. — O que disse sobre ter visto a criada de Ruth em Paris a noite passada. Não consigo compreender. Deve ter se enganado.

— Não posso ter me enganado, *sir*. Na verdade eu falei com ela.

— Bom, me conte tudo de novo.

Knighton aquiesceu.

— Eu havia acertado o negócio com Bartheimers e voltado para o Ritz para pegar minhas coisas a tempo de jantar e tomar o trem que sai às nove da Gare du Nord. No balcão da recepção, vi uma mulher que parecia muito a criada da sra. Kettering. Fui até ela e perguntei se a senhora estava hospedada ali.

— Sim, sim – disse Van Aldin. — Claro, naturalmente, e ela lhe disse que Ruth havia ido para a Riviera e a havia enviado para o Ritz para esperar outras ordens lá?

— Exatamente, senhor.

— É muito estranho — disse Van Aldin. — Muito estranho, de fato, a menos que a mulher tenha sido impertinente ou algo do gênero.

— Nesse caso — objetou Knighton —, a sra. Kettering não teria pago a ela uma certa soma de dinheiro e a mandado voltar à Inglaterra? Dificilmente a enviaria ao Ritz.

— Não — murmurou o milionário —, isso é verdade.

Ele estava para dizer algo mais, mas conteve-se. Gostava de Knighton e confiava nele, mas não poderia discutir a vida privada da filha com um secretário. Já estava magoado pela falta de franqueza de Ruth, e essa informação casual não trazia nada que pudesse acalmar seus receios.

Por que Ruth havia largado a criada em Paris? Que objetivo ou motivação poderiam tê-la levado a fazer tal coisa?

Refletiu por um momento na curiosa combinação do acaso. Como poderia ter ocorrido a Ruth que a primeira pessoa com quem sua aia cruzaria em Paris seria o secretário do pai? Ah, mas é assim que acontece. É assim que se descobrem as coisas.

Assustou-se com a última frase. Havia emergido com completa naturalidade em sua mente. Havia então "coisas a descobrir"? Odiou fazer-se tal pergunta, porque não tinha dúvida sobre a resposta. A resposta era – estava certo disso – Armand de la Roche.

Era duro para Van Aldin que sua filha pudesse ser lograda por um homem daqueles, ainda que fosse forçado a admitir que ela estava em boa companhia... Outras mulheres inteligentes e de estirpe nobre haviam sucumbido facilmente ao charme do conde. Os homens o viam com transparência. As mulheres, não.

Procurava agora por uma frase que abrandasse qualquer suspeita que seu secretário pudesse sentir.

– Ruth está sempre mudando de ideia sobre as coisas de uma hora para outra – comentou. E então acrescentou em um tom que se pretendia despreocupado: – A criada não deu... ahn... nenhuma razão para essa mudança de planos?

Knighton tomou cuidado para fazer sua voz soar tão natural quanto possível enquanto respondia.

– Ela disse, *sir*, que a sra. Kettering havia encontrado uma pessoa, inesperadamente.

– Ah é?

O ouvido treinado do secretário captou a nota de tensão subliminar no tom aparentemente casual.

– Ah, sei... Homem ou mulher?

– Acho que se referiu a um homem, senhor.

Van Aldin sacudiu a cabeça. Seus piores temores estavam se realizando. Levantou-se da cadeira e começou a andar para cima e para baixo no gabinete, hábito característico de quando estava agitado. Sem condições de conter os sentimentos por mais tempo, explodiu.

– Há apenas uma coisa que um homem não consegue: fazer uma mulher dar ouvidos à razão. De uma forma ou de outra, elas parecem não ter nenhuma espécie de bom-senso. Tanto papo sobre o instinto das mulheres... Quando todo mundo sabe que uma mulher é um alvo garantido para qualquer trapaceiro manipulador. Nenhuma em dez consegue perceber um escroque quando o encontra. Podem ser pilhadas por qualquer camarada de boa aparência e fala suave. Se eu pudesse...

Foi interrompido por um garoto de recados que entrava com um telegrama. Van Aldin abriu-o, e sua face adquiriu uma súbita palidez de giz. Segurou-se no encosto da cadeira para buscar apoio e despachou o menino.

– Qual é o assunto, senhor? – Knighton ergueu-se preocupado.

– Ruth! – disse Van Aldin com voz rouca.

– A sra. Kettering?

– Morta!

– Um acidente do trem?

Van Aldin sacudiu a cabeça.

– Não. Pelo que consigo entender parece que ela também foi assaltada. Eles não usam a palavra, Knighton, mas minha pobre menina foi assassinada.

– Oh, meu Deus, senhor!

Van Aldin bateu no telegrama com o indicador.

– Veio da polícia de Nice. Devo ir para lá no primeiro trem.

Knighton foi eficiente como sempre. Lançou um olhar ao relógio.

– O que parte da estação Victoria às cinco, senhor.

– Certo. Você virá comigo, Knighton. Avise meu criado, Archer, e faça suas malas. Cuide de tudo aqui. Quero ir até a Curzon Street.

O telefone soou estridente e o secretário atendeu.

– Sim, quem é?

Virou-se para Van Aldin.

– O sr. Goby.

– Goby? Não posso vê-lo agora. Não... Espere. Temos muito tempo. Diga para mandá-lo subir.

Van Aldin era um homem forte. Já havia recuperado sua tranquilidade de ferro. Poucas pessoas teriam notado algo errado em seu cumprimento ao sr. Goby.

– Estou com pressa, Goby. Tem algo importante a me contar?

O sr. Goby pigarreou.

– Os movimentos do sr. Kettering, *sir*. Pediu-me que os relatasse.

– Sim... E?

– O sr. Kettering deixou Londres ontem e foi para a Riviera.

– O quê?

Alguma coisa em sua voz deve ter espantado o sr. Goby. Aquele cavalheiro valoroso abriu mão de sua prática costumeira de nunca olhar para a pessoa com quem falava e lançou um olhar furtivo para o milionário.

– Em que trem ele partiu? – perguntou Van Aldin.

– No Trem Azul, *sir*.

O sr. Goby pigarreou outra vez e falou para o relógio na cornija da lareira:

– Mademoiselle Mirelle, a dançarina do Parthenon, embarcou no mesmo trem.

Capítulo 14

A história de Ada Mason

— Não consigo reiterar, monsieur, nosso horror, nossa consternação e profunda solidariedade para com o senhor.

Assim o sr. Carrège, o juiz de instrução, dirigiu-se a Van Aldin. O sr. Caux, o comissário, fazia barulhos solidários com a garganta. Van Aldin afastou o horror, a consternação e a solidariedade com um gesto abrupto. A cena se dava no gabinete do magistrado, em Nice. Ao lado do sr. Carrège, do comissário e de Van Aldin, havia mais uma pessoa no gabinete, e era essa pessoa que falava agora:

— Monsieur Van Aldin deseja ação. Ação imediata.

— Ah — desculpou-se o comissário. — Ainda não os apresentei. Monsieur Van Aldin, este é monsieur Hercule Poirot, o senhor deve, sem dúvida, ter ouvido falar dele. Apesar de estar aposentado já há alguns anos, seu nome ainda é associado a um dos maiores detetives vivos.

— Prazer em conhecê-lo, sr. Poirot — disse Van Aldin, recorrendo automaticamente a uma fórmula que havia descartado já havia alguns anos. — Está aposentado?

— Sim, monsieur. Agora eu aproveito o mundo.

O homenzinho fez um gesto grandiloquente.

— Por acaso, monsieur Poirot também estava no Trem Azul — explicou o comissário —, e tem sido muito gentil em nos auxiliar com sua vasta experiência.

O milionário lançou um olhar penetrante para Poirot, e então disse, inesperadamente.

— Sou um homem muito rico, sr. Poirot. É comum dizerem que um homem rico acredita que pode comprar tudo e todos. Não é verdade. Sou um grande homem, à minha maneira, e um grande homem pode pedir um favor a outro.

Poirot sinalizou com a cabeça uma rápida aprovação.

– Muito bem colocado, monsieur Van Aldin. Estou inteiramente a seu serviço.

– Obrigado – disse Van Aldin. – Posso apenas pedir que me ligue a qualquer hora, e não me achará um homem ingrato. E agora, senhores, aos negócios.

– Eu proponho – interveio o sr. Carrége – que interroguemos a criada, Ada Mason. O senhor a trouxe, se entendi bem.

– Sim – emendou Van Aldin –, nós a apanhamos em Paris. Ela estava muito abalada depois de ouvir sobre a morte de sua patroa, mas contou sua história de forma coerente o bastante.

– Vamos a ela, então – disse o sr. Carrège.

Apertou a campainha em sua mesa e, em poucos minutos, Ada Mason entrou na sala. Vinha muito adequadamente vestida de preto, e a ponta de seu nariz estava vermelha. Havia trocado suas luvas cinzentas de viagem por um par negro de camurça. Lançou um olhar trêmulo ao redor do gabinete do magistrado e pareceu aliviada com a presença do pai da patroa. O juiz de instrução orgulhava-se da jovialidade de suas maneiras e fez o máximo para deixá-la confortável. Nisso foi ajudado por Poirot, que atuava como intérprete, e cujos modos amistosos eram tranquilizadores para a inglesa.

– Seu nome é Ada Mason, está correto?

– Ada Beatrice é o nome de batismo, senhor – disse ela, empertigada.

– Certo. E entendemos, Mason, que tudo isso tem sido muito desgastante.

– Oh, de fato, senhor. Trabalhei para muitas damas, sempre as agradei, e nunca sonhei que algo do gênero viesse a acontecer em qualquer situação na qual eu estivesse envolvida.

– Não, não – disse o sr. Carrège.

– Naturalmente, eu já li sobre tais coisas, é claro, nos jornais de domingo. E sempre soube que esses trens estrangeiros... – de súbito, silenciou, ao lembrar que os cavalheiros com quem falava eram da mesma nacionalidade dos trens.

– Falemos deste caso – insistiu o sr. Carrège. – Não havia, se entendi bem, nenhuma intenção de você fazer uma parada em Paris quando partiram de Londres?

– Oh, não, senhor. Estávamos indo direto a Nice.

– Já havia viajado com sua patroa antes?

– Não, senhor. Estava trabalhando com ela há apenas dois meses.

– Ela parecia normal quando começaram a viagem?

– Parecia preocupada e um pouco angustiada, e estava mais irritadiça e difícil de lidar.

O sr. Carrège anuiu.

– Agora, Mason, quando soube de sua parada em Paris?

– Foi no lugar a que chamam Gare de Lyon, *sir*. Minha patroa estava pensando em sair e caminhar um pouco pela plataforma. Estava saindo para o corredor quando soltou uma súbita exclamação e voltou para seu compartimento com um cavalheiro. Fechou a porta entre o aposento dela e o meu, então não vi nem ouvi nada, até que ela abriu de novo a porta e me disse que havia mudado seus planos. Deu-me algum dinheiro e me mandou sair e ir até o Ritz. Conheciam-na bem por lá, ela disse, e me dariam um quarto. Eu deveria esperar até que ela me chamasse. Só tive tempo para juntar minhas coisas e pular do trem antes que ele partisse. Foi um apuro.

– Enquanto a sra. Kettering lhe dizia tudo isso, onde estava o cavalheiro?

– Em pé no outro compartimento, olhando pela janela.

– Pode descrevê-lo para nós?

– Bem, veja o senhor, eu mal o vi. Estava com as costas voltadas para mim a maior parte do tempo. Era um cavalheiro alto e moreno; é tudo o que posso dizer. Estava vestido como qualquer outro cavalheiro, com um sobretudo azul-marinho e um chapéu cinza.

– Era um dos passageiros do trem?
– Acho que não, senhor. Deduzi que havia ido à estação para falar com a sra. Kettering. Claro que poderia ser um dos passageiros. Nunca pensei nisso.

Ela parecia um pouco confusa com a sugestão.

– Ah – o sr. Carrège mudou levemente de assunto –, sua senhora mais tarde solicitou ao condutor que não a despertasse cedo naquela manhã. Era algo que fizesse comumente?

– Oh, sim. A senhora nunca tomava café e não passava bem à noite, então gostava de dormir pela manhã.

De novo o sr. Carrège passou para outro assunto.

– Dentre a bagagem havia um estojo de marroquim vermelho, não havia? – perguntou. – A caixa de joias de sua patroa?

– Sim, senhor.

– Você levou o estojo para o Ritz?

– Eu, levar a caixa de joias da senhora para o Ritz? Oh, não, claro que não, *sir* – o tom na voz de Mason era de horror.

– Você a deixou no vagão?

– Sim, senhor.

– Sabe se sua patroa carregava muitas joias?

– Um bom número, *sir*. Deixava-me desconfortável às vezes, posso dizer aos senhores, com todas aquelas histórias horríveis que se ouve sobre ser roubado em países estrangeiros. Estavam no seguro, eu sei, mas de todo modo parecia um risco pavoroso. Pelo que a senhora me contou, só os rubis já valiam centenas de milhares de libras.

– Os rubis! Que rubis? – ladrou subitamente Van Aldin.

A criada virou-se para ele.

– Acho que foi o senhor quem os deu para ela, *sir*, não muito tempo atrás.

– Meu Deus! – gritou Van Aldin. – Não me diga que ela estava com aqueles rubis! Eu a avisei para deixá-los no banco.

Mason deu mais uma vez o discreto pigarro que aparentemente era parte de seu arsenal de recursos de criada e que desta vez expressava, mais claramente do que palavras poderiam fazê-lo, que sua senhora era uma dama que tomava suas próprias decisões.

– Ruth deve ter ficado louca – resmungou Van Aldin. – O que passou pela cabeça dela?

O sr. Carrège, por sua vez, deu vazão a uma tosse também significativa que reverteu para ele a atenção de Van Aldin.

– Por ora – disse o sr. Carrège, dirigindo-se a Ada Mason –, acho que é tudo. Se passar na sala ao lado, mademoiselle, lerão para você as perguntas e as respostas e poderá assinar sua declaração.

A criada saiu, escoltada pelo escrivão, e Van Aldin disse imediatamente para o magistrado:

– E então?

O sr. Carrège abriu uma gaveta em sua escrivaninha, sacou de lá uma carta e entregou-a a Van Aldin.

– Isto foi achado na bagagem de mão de madame.

Chere Amie (a carta dizia)... *Eu a obedecerei. Serei prudente, discreto... todas aquelas coisas que um amante mais odeia. Paris talvez seja insensatez, mas as Isles d'Or estão muito longe do mundo, e você pode estar certa de que ninguém saberá de nada. É coisa bem sua e da sua simpatia divina estar tão interessada na obra que estou escrevendo sobre joias famosas. Será, de fato, um extraordinário privilégio realmente ver e manusear aqueles históricos rubis. Estou dedicando um capítulo especial ao Coração de Fogo. Minha amada! Logo eu a compensarei por todos os tristes anos de separação e vazio.*
Seu adorador para sempre,

Armand.

Capítulo 15

O conde de la Roche

Van Aldin leu a carta inteira em silêncio. Sua face tornou-se de um carmesim furioso e sombrio. Os homens que o observavam viram as veias pulsarem em sua testa e suas mãos grandes apertarem-se de forma inconsciente. Devolveu a carta sem uma palavra. O sr. Carrège olhava com atenção para a escrivaninha; os olhos do sr. Caux estavam fixos no teto; e Hercule Poirot esfregava, com paciência, uma mancha de pó na manga do casaco. Demonstrando grande tato, nenhum deles olhou para Van Aldin.

Foi o sr. Carrège, zeloso de sua posição e de seus deveres, quem tocou no assunto desagradável, com um murmúrio:

– Talvez, monsieur, o senhor conheça o... ahn... o autor desta carta.

– Sim, conheço – disse Van Aldin pesadamente.

– Quem? – disse o magistrado, em um tom interrogativo.

– Um patife que chama a si mesmo de conde de la Roche.

Houve uma pausa. Poirot se inclinou, endireitou uma régua na mesa do juiz e se dirigiu ao milionário:

– Monsieur Van Aldin, somos todos pessoas sensíveis, profundamente sensíveis, a respeito da dor que deve lhe afligir por falar a respeito de tais assuntos, mas creia, não é hora para segredos. Para que a justiça seja feita, precisamos saber tudo. Se refletir por um minuto, vai perceber por si mesmo, claramente, essa verdade.

Van Aldin ficou em silêncio por um tempo, ao fim do qual, quase relutante, sacudiu sua cabeça em concordância e disse:

— Está certo, sr. Poirot. Por doloroso que seja, não tenho o direito de ocultar nada.

O comissário deu um suspiro de alívio, e o juiz de instrução se recostou no encosto da cadeira, ajustou um *pince-nez* em seu longo nariz afilado e disse:

— Talvez possa nos contar em suas próprias palavras, monsieur Van Aldin, tudo o que sabe sobre esse cavalheiro.

— Começou onze ou doze anos atrás... em Paris. Minha filha era uma menina, na época, cheia de ideias românticas e tolas, como todas as garotas. Sem meu conhecimento, travou contato com esse conde de la Roche. Já ouviram, quem sabe, falar dele?

O comissário e Poirot assentiram.

— Apresenta-se como conde de la Roche — continuou Van Aldin —, mas duvido que tenha qualquer direito ao título.

— O senhor não encontraria seu nome no *Almanach de Gotha** — concordou o comissário.

— Já o havia desmascarado — disse Van Aldin. — Era um canalha de boa aparência, com um fascínio fatal sobre as mulheres. Ruth estava enfeitiçada por ele, mas logo dei um fim ao caso. O homem não era melhor do que um trapaceiro comum.

— O senhor está certo — disse o comissário. — O conde de la Roche é nosso velho conhecido. Se fosse possível, já teríamos posto as mãos nele há muito tempo, mas *ma foi*!, não é fácil; o camarada é manhoso, seus casos são sempre com damas de alta posição social. Se arranca dinheiro delas sob falsos pretextos ou como fruto de chantagem, *eh bien*!, naturalmente elas não irão denunciá-lo. Nunca pareceriam tolas aos olhos do mundo, não, isso nunca, e ele tem um poder extraordinário sobre as mulheres.

---

* Prestigiosa publicação anual que inventariava com detalhes os integrantes das casas reais e da nobreza europeias. (N.T.)

– É isso mesmo – disse o milionário com voz pesada. – Bem, como contei aos senhores, terminei o caso o mais rápido que pude. Disse a Ruth exatamente o que ele era, e ela não teve outra alternativa a não ser acreditar em mim. Cerca de um ano depois, ela encontrou seu atual marido e casou-se com ele. Até onde soube, esse foi o fim do assunto; mas apenas uma semana atrás descobri, para minha perplexidade, que minha filha havia retomado sua relação com o conde de la Roche. Ela o vinha encontrando com frequência em Londres e Paris. Censurei-a pela imprudência, dado que, devo dizer, cavalheiros, por insistência minha, ela estava se preparando para impetrar um processo de divórcio contra o marido.

– Interessante... – murmurou Poirot com voz macia, os olhos postos no teto.

Van Aldin lançou-lhe um olhar agudo e depois prosseguiu.

– Apontei-lhe a insensatez de continuar a ver o conde sob tais circunstâncias. Pensei que houvesse concordado comigo.

O juiz de instrução pigarreou com delicadeza.

– Mas de acordo com esta carta... – começou, e então se deteve.

A mandíbula de Van Aldin projetou-se para frente.

– Eu sei. Não é bom ficar de rodeios. Ainda que seja desagradável, temos de encarar os fatos. Parece claro que Ruth havia combinado ir a Paris para encontrar De la Roche lá. Depois de minhas advertências, entretanto, deve ter escrito ao conde sugerindo uma mudança no local de encontro.

– As Isles d'Or – disse o comissário, pensativo – estão situadas em frente a Hyères, um lugar remoto e idílico.

Van Aldin assentiu com a cabeça.

– Meu Deus! Como Ruth pôde ser tão tola? – exclamou, amargo. – Toda essa conversa a respeito de escrever um livro sobre joias! Imaginem! Ele devia era estar atrás dos rubis, em primeiro lugar.

– Há alguns rubis muito famosos – disse Poirot –, originalmente parte das joias da Coroa da Rússia; são únicos em seu gênero e seu valor é quase incalculável. Há rumores de que passaram recentemente para as mãos de um americano. Estamos certos em supor que monsieur foi o comprador?

– Sim – respondeu Van Aldin. – Tornaram-se minha propriedade há aproximadamente dez dias, em Paris.

– *Pardon me*, monsieur, mas por quanto tempo o senhor negociou a compra?

– Pouco mais de dois meses. Por quê?

– Estas coisas se espalham – disse Poirot. – Há sempre uma multidão na trilha de joias como essas.

Um espasmo distorceu a face do outro, que comentou, arrasado:

– Eu me lembro de uma piada que fiz para Ruth quando dei a ela os rubis. Disse para não levá-los para a Riviera, já que não poderia correr o risco de que fosse roubada e assassinada pela posse das joias. Meu Deus! As coisas que a gente diz... Nunca sonhei que minhas palavras se tornariam reais.

Houve um silêncio solidário, e então Poirot falou de modo despreocupado.

– Vamos organizar os fatos que temos com ordem e precisão. De acordo com nossa teoria atual, foi assim que as coisas aconteceram: o conde de la Roche fica sabendo que o senhor comprou as joias. Por meio de um estratagema barato, induz madame Kettering a trazer as pedras com ela na viagem. Então, ele é o homem que Ada Mason viu no trem em Paris.

Os outros três sacudiram a cabeça em concordância.

– Madame está surpresa em vê-lo, mas lida com a situação prontamente. A criada é afastada; um cesto de comida é pedido. Sabemos que o condutor fez a cama do primeiro compartimento, mas que não entrou no segundo, onde um homem poderia muito bem estar oculto. Até aqui, o conde poderia ter se escondido às mil maravilhas. Ninguém sabe de sua presença no trem exceto madame; ele teve o cuidado de não deixar a criada ver seu rosto. Tudo o que ela poderia dizer é que era alto e moreno, o que é, convenientemente, muito vago. Estão sozinhos... E o trem avança pela noite. Não haveria nenhum grito, nenhuma luta contra o homem que ela pensa ser seu amante.

Voltou-se com gentileza para Van Aldin.

– A morte, monsieur, deve ter sido quase instantânea. Vamos pular essa parte. O conde apanha o estojo de joias, que está bem à mão. Logo em seguida, o trem para em Lyon.

O sr. Carrège acenou a cabeça em aprovação.

– Precisamente. O condutor não desce do trem. Seria fácil para nosso homem deixar o comboio sem ser visto; seria fácil também tomar um trem de volta para Paris ou para qualquer lugar que lhe agradasse. E o crime seria considerado um simples roubo de trem. Se não fosse pela carta encontrada na mala de madame, o conde jamais seria mencionado.

– Foi um descuido da parte dele não revistar aquela mala – declarou o comissário. – Sem dúvida, pensou que ela havia destruído a carta. Foi... *pardon me*, monsieur... de uma completa imprudência a senhora tê-la guardado.

– E ainda assim – murmurou Poirot –, foi uma imprudência que o conde deveria ter previsto.

– O que quer dizer?

– Quero dizer que todos concordamos em um ponto: se há um assunto que o conde de la Roche conhece *à fond* são as mulheres. Então como pode que, conhecendo-as como conhece, não tenha previsto que madame teria guardado aquela carta?

– Sim... sim – disse o juiz de instrução em tom incerto –, há algo de verdadeiro no que o senhor diz. Mas em tais ocasiões, o senhor entende, um homem não é mestre de si mesmo, não raciocina com tranquilidade. *Mon Dieu* – ele acrescentou –, se nossos criminosos não perdessem a cabeça e só agissem com inteligência, como poderíamos capturá-los?

Poirot sorriu para si mesmo.

– A mim parece um caso claro – continuou o outro. – A dificuldade está em provar. O conde é um tipo escorregadio, e a menos que a criada possa identificá-lo...

– O que é muito improvável – disse Poirot.

– Sim, é verdade – o juiz de instrução coçou o queixo. – Será difícil.

– Se ele de fato cometeu o crime... – começou Poirot, no que foi interrompido pelo sr. Caux.

– Se... O senhor diz "se"?

– Sim, *monsieur le comissaire*, eu digo "se".

O outro o olhou atentamente, até que disse, por fim:

– O senhor está certo. Estamos indo muito rápido. Pode ser que o conde tenha um álibi. Então ficaríamos com cara de bobos.

– Ah, *ça par example* – retrucou Poirot –, não tem importância alguma. Naturalmente, se ele cometeu o crime, tem um álibi. Um homem com a experiência do conde não se descuidaria das precauções. Não, eu digo "se" por uma razão muito precisa.

– E qual é?

Poirot sacudiu o dedo indicador em um gesto enfático:

– A psicologia.

– Como? – disse o comissário.

– Há algo errado na psicologia. O conde é um patife? Sim. O conde é um trapaceiro? Sim. O conde se aproveita das mulheres? Sim. Ele pretendia roubar as joias de madame? Sim outra vez. Mas é o tipo de homem que cometeria um assassinato? *Não*, digo eu. Um homem como ele é sempre um covarde; não se arrisca. Faz a aposta segura, mesquinha, aquilo a que chamam "jogar para ganhar"... Mas assassinato não, cem vezes não! – Poirot disse, sacudindo a cabeça com um ar insatisfeito.

O juiz de instrução, contudo, não parecia disposto a concordar e comentou, com prudência:

– Sempre chega o dia em que gente desse tipo perde a cabeça e vai longe demais. Sem dúvida é esse o caso aqui. Sem querer discordar de monsieur Poirot...

– Foi apenas uma opinião – Poirot se apressou a explicar. – O caso está, é claro, nas suas mãos, e o senhor fará o que lhe parecer mais adequado.

O sr. Carrière respondeu:

– Tenho para comigo que o conde de la Roche é o homem que precisamos pegar. Concorda, senhor comissário?

– Perfeitamente.

– E monsieur Van Aldin?

– Sim – disse o milionário. – Sim, o homem é um consumado salafrário, não há dúvida.

– Temo que seja difícil pôr as mãos nele – disse o juiz –, mas faremos o melhor que pudermos. Devemos despachar de uma vez os telegramas com instruções.

– Permita-me ajudá-los – disse Poirot. – Não haverá nenhuma dificuldade.

– Como?

Os outros o encararam. O homenzinho devolveu-lhes um sorriso radiante e explicou:

– É meu ofício saber das coisas. O conde é um homem inteligente. Ele está, neste momento, em uma *villa* que alugou em Antibes, a Villa Marina.

Capítulo 16

Poirot discute o caso

Todos olharam com respeito para Poirot. Era indubitável que o homenzinho marcara um ponto. O comissário deu um sorriso sem graça.

– O senhor nos ensina nosso trabalho – queixou-se. – Monsieur Poirot sabe mais do que a polícia.

Poirot lançou um olhar complacente para o teto, adotando um ar de falsa modéstia.

– O que querem os senhores... meu passatempo é saber das coisas – murmurou. – Naturalmente, tenho o tempo livre para me dedicar a isso. Não estou sobrecarregado de casos.

– Ah! – disse o comissário, sacudindo a cabeça com ar grave. – Já eu... – e fez um gesto exagerado para representar os encargos que repousavam sobre seus ombros.

De súbito, Poirot se virou para Van Aldin:

– Monsieur concorda com esse ponto de vista? Tem absoluta certeza de que o conde de la Roche é o assassino?

– Bem, eu diria que assim parece, com certeza.

Algo cauteloso na resposta fez o juiz de instrução olhar com curiosidade para o americano. Van Aldin pareceu perceber o escrutínio, fez um duro esforço para afastar algum tipo de preocupação e perguntou:

– E meu genro? Os senhores já o puseram a par das notícias? Está em Nice, pelo que entendi.

– Certamente, monsieur – o comissário hesitou. Então murmurou com discrição: – O senhor está, sem dúvida, ciente de que o sr. Kettering também era um dos passageiros do Trem Azul aquela noite.

O milionário fez que sim com a cabeça.

– Soube logo antes de partir de Londres – confidenciou, lacônico.

– Ele diz – continuou o comissário – que não fazia ideia de que a esposa estava viajando no mesmo trem.

– Aposto que não fazia mesmo – disse Van Aldin, severo. – Teria sido uma surpresa desagradável para ele se cruzasse com minha filha.

Os três homens o olharam de modo interrogativo.

– Vou deixar de rodeios. Ninguém sabe o que a pobrezinha teve de suportar. Derek Kettering não estava sozinho. Havia uma mulher com ele.

– Como?

– Mirelle... a dançarina.

O sr. Carrège e o comissário trocaram olhares e acenos de cabeça, como se confirmando alguma conversação anterior. O juiz reclinou-se para trás na cadeira, juntou as mãos e fixou os olhos no teto.

– Oh! Era de imaginar... – disse em um murmúrio seguido de um pigarro. – Ouvem-se rumores.

– Ela é muito conhecida – completou o sr. Caux.

– E também muito cara – emendou Poirot suavemente.

Van Aldin corou até ficar com as faces vermelhas. Inclinou-se e bateu o punho no tampo da mesa.

– Aí está – bradou –, meu genro é um maldito patife.

Olhou para os demais, vagando de uma face para outra e então prosseguiu.

– Oh, eu que sei. Tem boa aparência e maneiras suaves e gentis. Chegou a cativar-me por um tempo. Suponho que fingiu estar com o coração em frangalhos quando os senhores lhe deram a notícia. Isto é, se já não sabia.

– Foi uma surpresa para ele. Estava desolado.

– Maldito hipócrita – disse Van Aldin. – Um luto simulado, eu suponho.

– Não... – disse o comissário, cautelosamente –, eu não diria exatamente isso... Não é, sr. Carrège?

O magistrado juntou as pontas dos dedos, semicerrou os olhos e declarou, judiciosamente:

– Choque, confusão, horror... Isso sim. Grande pesar... Não. Diria que não.

Hercule Poirot tomou mais uma vez a palavra.

– Permita-me que eu pergunte, monsieur Van Aldin, mas o sr. Kettering terá algum benefício com a morte da esposa?

– O benefício de dois belos milhões – respondeu Van Aldin.

– Dólares?

– Libras. Leguei a soma a Ruth por ocasião do casamento. Ela não fez testamento e não deixou filhos, então o dinheiro irá para o marido.

– De quem estava a ponto de se divorciar – murmurou Poirot. – Ah, sim... *précisément*.

O comissário se virou e o encarou.

– O senhor quer dizer...

– Não quero dizer nada. Estou pondo os fatos em ordem, é tudo.

Van Aldin encarou-o com crescente interesse.

O homenzinho ergueu-se.

– Não acho que eu possa ser de mais alguma serventia, senhor juiz – disse, com polidez, fazendo uma reverência para o sr. Carrège. – Os senhores teriam a gentileza de me manter informado sobre o curso dos acontecimentos?

– Certamente que sim...

Van Aldin também se levantou.

– Ainda precisam de mim no momento?

– Não, monsieur; temos todas as informações de que necessitamos por enquanto.

– Então acompanharei o sr. Poirot. Isto é, se ele não se opõe.

– Será um prazer, monsieur – disse o homenzinho, com uma mesura.

Van Aldin acendeu um grande charuto, depois de haver oferecido um a Poirot, que recusou e preferiu uma de suas próprias cigarrilhas. Homem de grande força de caráter, o milionário já aparentava estar mais uma vez em seu temperamento normal. Após vaguear em silêncio por alguns minutos, falou:

– Se entendi bem, monsieur Poirot, o senhor não exerce mais sua profissão.

– É isso mesmo, monsieur. Agora desfruto do mundo.

– E ainda assim o senhor está ajudando a polícia neste caso.

– Monsieur, se um médico está caminhando na rua e um acidente acontece, por acaso ele diz "estou aposentado, vou continuar meu passeio", quando há alguém sangrando até a morte aos seus pés? Se já estivesse em Nice, e a polícia tivesse ido a mim e me pedido para ajudá-los, eu recusaria. Mas este caso, o bom Deus o empurrou para mim.

– O senhor estava no local – disse Van Aldin pensativo. – Examinou o compartimento, não?

Poirot concordou com um aceno.

– E sem dúvida encontrou coisas que lhe pareceram, como direi, sugestivas?

– Talvez – disse Poirot.

– Espero que veja onde quero chegar... – disse Van Aldin. – A mim ficou claro o caso contra o conde de la Roche, mas não sou tolo. Venho observando-o na última hora ou mais, e percebi que, por alguma razão, o senhor não concorda com essa teoria.

Poirot encolheu os ombros.

– Posso estar errado.

– E assim chegamos ao favor que eu quero pedir-lhe. Atuaria neste caso para mim?

– Para o senhor, em particular?

– É exatamente o que quero dizer.

Poirot ficou em silêncio por alguns minutos até responder:

– Percebe o que está me pedindo?

– Creio que sim – disse Van Aldin.

– Muito bem. Aceito. Mas sendo assim, devo receber respostas francas para minhas perguntas.

– Sem dúvida. Isso está entendido.

As maneiras de Poirot mudaram subitamente. Tornou-se brusco e profissional:

– Essa questão do divórcio. Foi o senhor quem aconselhou sua filha a apresentar a demanda?

– Sim.

– Quando?

– Há cerca de dez dias. Recebi dela uma carta reclamando do comportamento de seu marido e disse-lhe com firmeza que o divórcio era o único remédio.

– Em que termos ela reclamava do comportamento dele?

– Ele estava sendo visto por aí com uma dama *muito* notória: aquela de quem falávamos... Mirelle.

– A dançarina! Ah-há! E madame Kettering se opunha? Tinha muito ciúme do marido?

– Eu não diria isso – respondeu Van Aldin, em tom hesitante.

– Não era seu coração que sofria, mas seu orgulho... É o que o senhor diria?

– Sim, suponho que possa colocar as coisas nesses termos.

– Devo concluir que o casamento não havia sido feliz desde o início.

– Derek Kettering é podre até a alma – disse Van Aldin –, é incapaz de fazer qualquer mulher feliz.

– Ele é, como vocês dizem, um pelintra. Está certo?

Van Aldin concordou.

– *Très bien*! O senhor aconselha madame a pedir o divórcio, ela concorda; o senhor consulta seus advogados.

Quando o sr. Kettering tomou conhecimento do que estava acontecendo?

– Eu mesmo mandei chamá-lo e expliquei-lhe o curso de ação que me propunha a tomar.

– E o que ele disse? – murmurou Poirot, com suavidade.

A face de Van Aldin tornou-se sombria com a lembrança.

– Ele foi de um descaramento infernal.

– Perdoe-me a pergunta, monsieur, mas ele se referiu ao conde de la Roche?

– Não pelo nome – rosnou o outro a contragosto –, mas mostrou-se ciente do caso.

– Qual era, se posso perguntar, a situação financeira do sr. Kettering naquele momento?

– Como supõe que eu saiba? – perguntou Van Aldin, após uma hesitação muito breve.

– Pareceu-me apenas que o senhor se informaria a respeito desse ponto.

– Bem... Está certo, me informei. E descobri que Kettering estava quebrado.

– E agora ele herda dois milhões de libras! *La vie*... é uma coisa estranha, não é mesmo?

Van Aldin olhou-o atentamente.

– O que o senhor quer dizer?

– Estava analisando – disse Poirot –, refletindo, filosofando. Mas para voltar ao que falávamos... Seguramente o sr. Kettering não se propôs a conceder o divórcio sem litígio, não?

Van Aldin não respondeu por um tempo, então disse:

– Não sei exatamente quais eram as intenções dele.

– O senhor manteve algum outro contato com ele?

Outra vez uma ligeira pausa, e então Van Aldin respondeu:

– Não.

Poirot estacou, tirou seu chapéu e ergueu a mão.

– Desejo-lhe um bom dia, monsieur. Nada posso fazer pelo senhor.

– O que o senhor quer dizer? – inquiriu Van Aldin, irritado.

– Se o senhor não me diz a verdade, nada posso fazer.

– Não sei o que está dizendo.

– Acho que sabe. O senhor pode estar certo, sr. Van Aldin, de que sei ser discreto.

– Muito bem, então – disse o milionário. – Admito que não estava falando a verdade agora há pouco. Eu *tive* outro contato com meu genro.

– E?

– Para ser exato, enviei meu secretário, major Knighton, para vê-lo, instruído a oferecer a soma de cem mil libras em dinheiro se o divórcio prosseguisse sem contestação.

– Uma bela soma – apreciou Poirot. – E qual foi a resposta de seu genro?

– Mandou dizer, com todas as letras, que eu fosse para o inferno – respondeu o milionário, de modo sucinto.

– Ah! – disse Poirot.

Ele não traiu emoção de nenhum tipo. Naquele momento, estava ocupado em registrar os fatos, metodicamente.

– Monsieur Kettering disse à polícia que ele não viu nem falou com sua esposa na viagem desde a Inglaterra. O senhor está inclinado a acreditar nessa declaração, monsieur?

– Sim, estou – disse Van Aldin –, ele estaria particularmente interessado em ficar fora do caminho de minha filha, devo acrescentar.

– Por quê?

– Porque estava com aquela mulher.

– Mirelle?

– Sim.
– Como o senhor veio a saber desse fato?
– Um homem de minha confiança, a quem contratei para vigiá-lo, me relatou que ambos haviam partido naquele trem.
– Entendo – disse Poirot. – Nesse caso, como o senhor disse antes, ele provavelmente não tentaria estabelecer nenhum contato com madame Kettering.

O homenzinho ficou em silêncio por algum tempo, e Van Aldin não lhe interrompeu a meditação.

Capítulo 17

Um cavalheiro aristocrático

— Já esteve alguma vez na Riviera, Georges? — perguntou Poirot ao seu criado na manhã seguinte.

George era um indivíduo de feições impassíveis, intensamente inglês.

— Sim, senhor. Estive aqui dois anos atrás quando estava a serviço de lorde Edward Frampton.

— E hoje — murmurou o patrão — está aqui com Hercule Poirot. Como subiu na vida!

O criado não respondeu à observação. Depois de uma pausa conveniente, perguntou:

— O traje de passeio marrom, senhor? O vento está um tanto frio hoje.

— Há uma mancha de gordura no colete — objetou Poirot. — Um *morceau* de *filet de sole à la Jeanette* caiu quando eu almoçava no Ritz terça passada.

— Não há mais mancha alguma, senhor — disse George, em tom reprovador —, eu a removi.

— *Très bien*! — disse Poirot. — Estou satisfeito com você, Georges.

— Obrigado, senhor.

Após uma pausa, Poirot murmurou em tom sonhador:

— Suponha, meu bom Georges, que você tivesse nascido na mesma esfera social que seu patrão anterior, lorde Edward Frampton... e que, sem um tostão, tivesse desposado uma mulher extremamente rica, mas que essa mulher pretendesse se divorciar, com excelentes razões, o que faria a respeito?

— Eu me empenharia em fazê-la mudar de ideia.

— Por métodos pacíficos ou pela força?

George pareceu chocado ao responder:

– Vai me desculpar, senhor, mas um cavalheiro da aristocracia não se comportaria como um quitandeiro de Whitechapel, nem faria nada tão baixo.

– Não, Georges? Imagino... Bom, talvez esteja certo.

Ouviu-se uma batida na porta. George foi até ela e abriu-a apenas alguns discretos centímetros. Seguiu-se um colóquio sussurrado, e o criado voltou a Poirot.

– Um recado, senhor.

Poirot tomou o bilhete. Era do sr. Caux, o comissário de polícia: "Estamos prestes a interrogar o conde de la Roche. O juiz de instrução roga que o senhor esteja presente."

– Rápido, Georges, meu traje! Devo me apressar!

Quinze minutos mais tarde, lampeiro em seu traje marrom, Poirot entrou na sala do magistrado de instrução. O sr. Caux já estava lá, e tanto ele quanto Carrège saudaram Poirot com polido *empressement*.

– O caso é um tanto desencorajador – murmurou o sr. Caux.

– Parece que o conde chegou a Nice no dia anterior ao assassinato.

– Se for verdade, isso encerra o caso perfeitamente para o senhor – respondeu Poirot.

O sr. Carrège limpou a garganta:

– Não devemos aceitar o álibi sem uma verificação muito cuidadosa – declarou, enquanto apertava a campainha sobre sua mesa.

Um minuto depois entrou na sala um homem alto e moreno, vestido de modo impecável, com uma fisionomia algo arrogante. O conde tinha uma aparência tão aristocrática que pareceria uma completa heresia sequer sussurrar que seu pai fora um obscuro comerciante de cereais em Nantes – o que, a propósito, era verdade. Ao olhar para o conde, alguém poderia jurar que inúmeros de seus ancestrais haviam perecido na guilhotina durante a Revolução Francesa.

– Estou aqui, cavalheiros – disse, com altivez. – Posso perguntar-lhes por que queriam me ver?

– Tenha a bondade de se sentar, monsieur *le comte* – disse o juiz de instrução delicadamente. – Estamos investigando o caso da morte de madame Kettering.

– A morte de madame Kettering? Não compreendo.

– Senhor conde, creio que o senhor era... aham!... conhecido dessa senhora.

– Certamente eu era conhecido dela. O que isso tem a ver com o assunto?

Ajustando um monóculo, ele olhou ao redor da sala com frieza, e seu olhar pousou longamente sobre Poirot, que o mirava com uma espécie de admiração simples e inocente que era agradável à vaidade do conde. O sr. Carrège se recostou em sua cadeira e pigarreou:

– O senhor talvez não saiba, monsieur *le comte*... que madame Kettering foi assassinada.

– Assassinada? *Mon Dieu*, que terrível!

A surpresa e o sofrimento foram bem representados... tão bem, de fato, que pareciam completamente legítimos.

– Madame Kettering foi estrangulada entre Paris e Lyon – continuou o sr. Carrège –, e suas joias foram roubadas.

– Isso é uma iniquidade! – berrou o conde, exaltado. – A polícia devia fazer algo a respeito desses ladrões de trem. Nos dias de hoje, ninguém está seguro.

– Na valise de mão de madame – prosseguiu o juiz –, encontramos uma carta escrita pelo senhor. Ela havia, ao que parece, combinado encontrá-lo.

O conde encolheu os ombros, estendeu as mãos e disse com franqueza:

– Que utilidade têm os segredos agora? Nós somos todos homens do mundo. Entre nós, e de modo privado, admito o caso.

– O senhor a encontrou em Paris e viajou com ela, suponho? – disse o sr. Carrège.

– Esta era a combinação original, mas, pela vontade de madame, foi mudada. Eu deveria encontrá-la em Hyères.

– O senhor então não se encontrou com ela na Gare de Lyon na noite do dia 14?

– Ao contrário, eu cheguei a Nice na manhã desse dia, então o que o senhor sugere seria impossível.

– Sim, concordo – disse o sr. Carrège. – Por uma questão de mera formalidade, o senhor poderia me dar detalhes de seus movimentos na noite do dia 14?

O conde refletiu por um minuto.

– Jantei em Monte Carlo no Café de Paris. Depois, fui até o Le Sporting e lá ganhei alguns milhares de francos – ao dizer isso, deu de ombros – e voltei para casa talvez por volta de uma da madrugada.

– *Pardon me*, monsieur, mas como o senhor voltou para casa?

– No meu automóvel de dois lugares.

– Não havia ninguém com o senhor?

– Ninguém.

– Pode apresentar testemunhas que apoiem sua declaração?

– Sem dúvida muitos dos meus amigos me viram lá naquela noite. Jantei sozinho.

– Seu criado o recebeu em seu retorno à *villa*?

– Entrei com minha própria chave.

– Ah! – murmurou o magistrado.

Pressionou de novo a campainha em sua mesa. A porta se abriu e um mensageiro apareceu.

– Traga a criada, Mason – disse o sr. Carrège.

– Sim, senhor juiz.

Ada Mason foi introduzida na sala.

– Tenha a bondade, mademoiselle, de olhar para este cavalheiro. Pode afirmar que foi ele quem entrou no compartimento de sua senhora em Paris?

A mulher lançou um olhar longo e penetrante ao conde, que estava, Poirot imaginou, um tanto desconfortável com aquele escrutínio.

– Eu não poderia dizer, senhor – disse a criada, por fim. – Poderia ser e poderia não ser. Tendo visto apenas suas costas, como vi, é difícil afirmar. Mas acho que sim, *era* este cavalheiro.

– Mas não tem certeza?

– Não... – disse Mason, com relutância – n-não, não tenho certeza.

– Já viu este cavalheiro antes na Curzon Street?

Ada Mason sacudiu a cabeça.

– Eu provavelmente não veria nenhum visitante que fosse à Curzon Street – ela explicou –, a não ser que estivesse hospedado na casa.

– Muito bem, isso é tudo – disse o juiz de instrução, evidentemente desapontado.

– Um momento – emendou Poirot. – Há uma pergunta que gostaria de fazer a mademoiselle, se me permitem.

– Certamente, sr. Poirot... sem dúvida que sim.

Poirot se dirigiu à criada.

– O que aconteceu com as passagens?

– As passagens, *sir*?

– Sim, as passagens de Londres a Nice. Estavam com você ou com sua senhora?

– A senhora tinha sua própria passagem do vagão-leito, senhor; as outras estavam a meu encargo.

– O que aconteceu com elas?

– Entreguei ao condutor no trem francês, senhor. Ele disse que era o de praxe. Fiz a coisa certa, senhor?

– Oh, claro que sim. Era uma mera questão de detalhe.

Tanto o sr. Caux quanto o juiz de instrução olharam para ele com curiosidade. Ada Mason pareceu confusa por algum tempo, e então o magistrado a dispensou com um breve aceno de cabeça, e ela saiu. Poirot rabiscou alguma coisa em um pedaço de papel e o estendeu para o sr. Carrège. Este leu o que estava escrito e seu semblante clareou.

– Bem, cavalheiros, devo permanecer aqui muito mais tempo? – o conde inquiriu em tom arrogante.

– Por certo que não – o sr. Carrège apressou-se em dizer, com grande amabilidade. – Está tudo esclarecido a respeito de sua posição neste caso. Naturalmente, em vista da carta de madame, fomos obrigados a interrogá-lo.

O conde se levantou, apanhou sua vistosa bengala a um canto e, com uma saudação um tanto breve, deixou a sala.

– É isso mesmo. O senhor tem toda a razão, sr. Poirot – disse o sr. Carrège –, é muito melhor deixá-lo sentir que não é um suspeito. Dois dos meus homens vão segui-lo como sombra dia e noite, e ao mesmo tempo nós vamos verificar a questão do álibi. A mim me parece um tanto... forçado.

– Possivelmente – concordou Poirot com ar pensativo.

– Pedi ao sr. Kettering para vir aqui esta manhã – continuou o juiz –, apesar de realmente duvidar que tenhamos muita coisa para perguntar-lhe, mas há uma ou duas circunstâncias suspeitas... – fez uma pausa e coçou o nariz.

– Tais como? – perguntou Poirot.

– Bem... – o magistrado pigarreou. – Esta senhora com a qual foi dito que ele estaria viajando... mademoiselle Mirelle. Está hospedada em um hotel e ele em outro. Parece-me... ahn... um tanto estranho.

– Parece que estão sendo cuidadosos – emendou o sr. Caux.

– Exato – disse o sr. Carrège, triunfante –, e a respeito do que eles deveriam ser cuidadosos?

– Excesso de precaução é suspeito, não? – disse Poirot.

– *Précisément.*

– Acho que devemos fazer uma ou duas perguntas ao sr. Kettering – murmurou Poirot.

O juiz deu algumas ordens. Pouco depois, Derek Kettering, cortês como sempre, entrou na sala.

– Bom dia, monsieur – disse o juiz, com educação.

– Bom dia – respondeu com brevidade Derek Kettering. – Os senhores me chamaram. Há alguma novidade?

– Tenha a bondade de se sentar, monsieur.

Derek tomou assento, jogou o chapéu e a bengala sobre a mesa e perguntou, impaciente:

– E então?

– Não temos, até aqui, nenhum dado novo – disse o sr. Carrège, com cautela.

– Muito interessante – disse Derek secamente. – Os senhores me chamaram aqui para me dizer isso?

– Pensamos, naturalmente, que monsieur gostaria de ser informado do progresso do caso – disse o magistrado, severo.

– Mesmo se não existe progresso.

– Nós também gostaríamos de fazer-lhe algumas perguntas.

– Pois faça.

– O senhor tem absoluta certeza de que não viu nem falou com sua esposa no trem?

– Eu já respondi a essa pergunta. Não.

– O senhor pode nos dizer, sem dúvida, suas razões.

Derek fixou no juiz um olhar desconfiado.

– Eu... não... sabia... que... ela... estava... no... trem – explicou, espaçando cuidadosamente as palavras, como se falasse com alguém cujo raciocínio era lento.

– Isso é o que o senhor diz, é claro – murmurou o sr. Carrège.

Um franzir de sobrancelhas tornou sombria a face de Derek:

– Eu gostaria de saber onde o senhor quer chegar. O senhor sabe o que eu acho, sr. Carrège?

– Diga, monsieur.

– Acho que a polícia francesa é superestimada em demasia. Seguramente os senhores já deveriam ter alguma informação sobre essas quadrilhas de ladrões de trem. É ultrajante que tal coisa tenha acontecido em um *train de luxe*, e que a polícia francesa esteja impotente para tratar do assunto.

– Nós estamos tratando, monsieur, não tenha dúvidas.

– Se bem compreendo, madame Kettering não deixou testamento – interrompeu subitamente Poirot. Tinha as pontas dos dedos juntas e olhava com intensidade para o teto.

– Não creio que ela tenha feito um alguma vez – disse Kettering. – Por quê?

– Desta forma, o senhor herda uma bela fortuna, uma fortunazinha para lá de boa – comentou Poirot.

Embora seus olhos ainda estivessem postos no teto, ele conseguiu ver o afluxo de sangue que escureceu o rosto de Derek Kettering.

– O que quer dizer? E quem é o senhor?

Poirot descruzou gentilmente os joelhos e, baixando o olhar, encarou diretamente o jovem. Disse, com tranquilidade:

– Meu nome é Hercule Poirot, e eu sou provavelmente o maior detetive do mundo. O senhor tem certeza de que não viu nem falou com sua esposa no trem?

– Onde o senhor quer chegar? Os senhores... os senhores estão sugerindo que eu... que eu a matei?

De súbito, ele riu.

– Não devo perder a calma. É um absurdo tão palpável. Por que, se eu a matei, eu não teria necessidade de roubar suas joias, não?

– É verdade – murmurou Poirot, com um ar abatido –, eu não havia pensado nisso.

– Se já houve um caso claro de assassinato e roubo, foi este – disse Derek Kettering. – Pobre Ruth, aqueles malditos rubis a condenaram. Deviam saber que ela os trazia consigo. Já houve assassinatos cometidos por causa daquelas pedras, eu suponho.

Poirot endireitou-se na cadeira de repente. Uma débil luz verde brilhava em seus olhos. Parecia-se extraordinariamente com um gato lustroso e bem alimentado.

– Mais uma pergunta, monsieur Kettering – disse. – Pode me informar o dia em que viu sua esposa pela última vez?

– Deixe-me ver... – refletiu Derek – Deve ter sido... sim, mais de três semanas atrás. Temo que não possa fornecer o dia exato.

– Não importa – disse Poirot secamente –, era tudo o que eu queria saber.

– Bem – disse Derek Kettering com impaciência –, algo mais?

Olhou diretamente para o sr. Carrège, que buscou orientação em Poirot, e recebeu deste um tênue aceno de cabeça.

– Não, sr. Kettering – disse o juiz, com delicadeza –, não acho que precisemos incomodá-lo mais. Tenha um bom dia.

– Bom dia – disse Kettering e saiu, batendo a porta atrás de si.

Poirot se inclinou e perguntou peremptoriamente, tão logo o jovem deixou a sala:

– Diga-me, quando o senhor falou daqueles rubis ao sr. Kettering?

– Não falei – respondeu o sr. Carrège. – Foi apenas ontem à tarde que soubemos deles, pelo sr. Van Aldin.

– Sim, mas havia uma menção na carta do conde.

O sr. Carrège olhou, aflito:

– Naturalmente eu não falei daquela carta ao sr. Kettering – emendou, em uma voz surpresa. – Teria sido por demais indiscreto na presente conjuntura do caso.

Poirot inclinou-se e tamborilou no tampo da mesa.

"Então como ele sabia a respeito deles?", perguntou-se, suavemente. Madame não teria contado, se ele não a via há três semanas. Parece improvável que o sr. Van Aldin ou seu secretário os tenham mencionado; suas entrevistas com ele seguiram linhas bastante diferentes, e não havia nenhuma nota ou referência a eles nos jornais.

Ele se levantou, deu de mão no chapéu e na bengala e murmurou consigo mesmo:

– E ainda assim, nosso cavalheiro sabia a respeito deles. Fico a imaginar como. Sim, fico a imaginar!

Capítulo 18

Derek almoça

Derek Kettering foi direto para o Hotel Negresco, onde pediu dois coquetéis e deu conta deles sem demora. Depois, olhou com grande melancolia para o deslumbrante mar azul. Observou mecanicamente os passantes – uma multidão estúpida, malvestida e desinteressante; nos dias de hoje, só com muito custo era possível ver alguma coisa que valesse a pena. Corrigiu a última impressão com rapidez ao ver uma mulher sentar-se a uma mesa a pouca distância da dele. Vestia um conjunto maravilhoso, laranja e preto, com um chapeuzinho que fazia sombra em sua face. Ele pediu um terceiro coquetel e outra vez ficou mirando o mar, até que, subitamente, assustou-se. Um perfume bem conhecido assaltou suas narinas, e ele ergueu os olhos, para encontrar a dama de laranja e preto parada a seu lado. Agora via-lhe a face e a reconhecia. Era Mirelle, que sorria aquele sorriso insolente e sedutor que ele conhecia tão bem.

– Dereek! – murmurou. – Está tão feliz em me ver, não?

Deixou-se cair em uma cadeira no lado oposto da mesa e então zombou:

– Mas dê-me as boas-vindas, seu estúpido!

– Que prazer inesperado – disse Derek.– Saiu de Londres quando?

Ela encolheu os ombros:

– Um ou dois dias atrás...

– E o Parthenon?

– Eu os... como é mesmo que vocês dizem... eu os mandei às favas!

– Verdade?

– Não está sendo muito amável, Dereek.
– Esperava que fosse?

Mirelle acendeu um cigarro e soltou algumas baforadas antes de dizer:

– Acha, talvez, que não é prudente tão cedo?

Derek olhou para ela, encolheu os ombros e comentou, em tom formal:

– Vai almoçar aqui?
– *Mais oui*. Com você.
– Sinto muitíssimo. Tenho um compromisso muito importante – disse Derek.
– *Mon Dieu*! Mas vocês homens são como crianças! – exclamou a dançarina. – Você banca a criança mimada comigo desde aquele dia em Londres, quando saiu amuado do meu apartamento. Ah! *Mais c'est inouï*!*

– Minha cara – disse Derek –, realmente não sei do que está falando. Concordamos em Londres que os ratos desertam de um navio a pique, e isso é tudo o que há para ser dito.

A despeito de suas palavras descuidadas, a face de Derek parecia exangue e cansada. De súbito, Mirelle se inclinou para ele.

– Você não me engana – ela murmurou. – Eu sei... eu sei o que fez por mim.

Olhou-a com atenção. Ela fez um aceno com a cabeça.

– Ah! Não tenha medo, sou discreta. Você é magnífico, tem uma coragem soberba, mas, ao mesmo tempo, fui eu que dei a ideia, naquele dia, quando disse, em Londres, que acidentes às vezes acontecem. E você? Está em perigo? A polícia não suspeita de você?

– Mas que diabos...?

– Quieto! – ela ergueu para ele uma mão morena e esguia com uma grande esmeralda no dedo mínimo. –

---

* "Mas é inacreditável!" (N.T.)

Está certo, eu não deveria falar disso em um lugar público. Não falaremos outra vez do assunto, mas nossos problemas terminaram, nossa vida juntos será maravilhosa... maravilhosa!

Derek riu num repente... um riso cruel e desagradável.

– Então os ratos estão de volta, não é? Dois milhões fazem diferença... É claro que fazem. Eu devia saber – ele riu novamente. – Vai me ajudar a gastar aqueles dois milhões, não vai, Mirelle? Você sabe como, melhor do que qualquer mulher – riu outra vez.

– Silêncio! – gritou a dançarina. – Qual é o problema com você, Dereek? Veja... as pessoas estão se virando para olhar.

– Comigo? Eu direi qual é o problema. Eu terminei com você, Mirelle. Está me ouvindo? Terminei!

Mirelle não recebeu aquilo como ele esperava. Olhou-o por algum tempo e então sorriu, com delicadeza.

– Mas que criança! Está irritado e ofendido, e tudo porque sou uma mulher prática. Eu não disse sempre que adorava você?

Ela se inclinou para ele.

– Mas eu o conheço, Dereek. Olhe para mim... Veja, é Mirelle quem está falando. Não pode viver sem ela, você sabe. Amei você antes e amarei você centenas de vezes mais agora. Tornarei sua vida maravilhosa... Maravilhosa. Não há nenhuma mulher como Mirelle.

Os olhos dela queimaram nos dele. Ela o viu empalidecer e inspirar ruidosamente, e então sorriu para si mesma, contente. Conhecia seu poder e fascínio sobre os homens.

– Estamos acertados – disse, com suavidade, e deu uma risada breve –, e agora, Dereek, vai me convidar para o almoço?

– Não.

Ele tomou fôlego e se levantou.

– Sinto muito, mas eu disse... que tinha um compromisso.

– Vai almoçar com outra pessoa? Ah! Não acredito.

– Vou almoçar com aquela dama ali.

Cruzou abruptamente até onde uma dama de branco acabava de subir as escadas, e dirigiu-se a ela, um pouco ofegante:

– Srta. Grey, gostaria... gostaria de almoçar comigo? A senhorita me conheceu na casa de lady Tamplin, se ainda lembra.

Katherine olhou-o por instantes com aqueles olhos cinzentos e pensativos, que diziam tanto.

– Obrigada – disse, depois de uma pausa. – Eu adoraria.

Capítulo 19

Uma visitante inesperada

O conde de la Roche acabara naquele instante seu desjejum, que consistia de um *omelette fines herbes*, um *entrecôte Bearnaise* e um *savarin au rhum*. Limpando delicadamente o belo bigode preto com o guardanapo, levantou-se da mesa e atravessou o salão da *villa*, observando com apreço os poucos *objets d'art* espalhados com descuido. A caixa de rapé de Luís XV, o sapato de cetim de Maria Antonieta e outras quinquilharias históricas que eram parte da *mise en scène* do conde. Eram, ele explicava a suas amáveis visitantes, heranças de família. Passando ao terraço, olhou distraído para o Mediterrâneo. Não estava com ânimo para apreciar as belezas do cenário. Um plano totalmente amadurecido havia sido dizimado, e seus projetos precisavam ser refeitos. Com um cigarro preso entre os dedos alvos, jogou-se em uma cadeira de vime e se entregou a ponderações profundas.

Logo, Hipolyte, seu criado, trouxe-lhe café e licores para que escolhesse. O conde selecionou um ótimo *brandy* envelhecido e, quando o criado se preparava para sair, deteve-o com um gesto delicado. Hipolyte ficou à espera. Sua fisionomia dificilmente passaria por agradável, mas a correção de seu comportamento compensava com sobra esse detalhe. Era agora uma imagem da atenção respeitosa.

– É possível – disse o conde – que no decorrer dos próximos dias vários estranhos venham a esta casa. Tentarão forçar amizade com você e com Marie. É provável que façam muitas perguntas a meu respeito.

– Sim, senhor conde.

– Talvez já tenham vindo?

– Não, senhor conde.

– Não vieram estranhos a este lugar? Tem certeza?
– Não veio ninguém, senhor conde.
– Isso é bom – disse o conde secamente –, entretanto, eles virão... Estou certo disso. E farão perguntas.

Hipolyte lançou ao mestre um olhar inteligente de antecipação. O conde falou devagar, sem olhar para o criado:

– Como sabe, cheguei na manhã da última terça-feira. Se a polícia ou qualquer outra pessoa fizer perguntas, não se esqueça desse fato. Cheguei na terça-feira, dia 14, não na quarta, dia 15. Entendido?

– Perfeitamente, senhor conde.

– Em um caso em que uma dama está envolvida, é sempre necessário ser discreto. Tenho certeza, Hipolyte, que você pode ser discreto.

– Posso ser discreto, monsieur.

– E Marie?

– Marie também. Responderei por ela.

– Então está bem.

Quando Hipolyte saiu, o conde ficou a bebericar seu café com um ar pensativo. Franzia o cenho a intervalos, sacudia de leve a cabeça uma vez e a balançava com vigor outras duas. Em meio a essas cogitações, Hipolyte reapareceu.

– Há aí uma dama, monsieur.

– Uma dama?

O conde estava surpreso. Não que a visita de uma mulher fosse incomum na Villa Marina, mas, naquele momento em particular, não conseguia atinar quem seria a tal dama.

– Não é, creio, uma dama que o senhor conheça – murmurou o criado, prestativo.

O conde estava cada vez mais intrigado.

– Traga-a aqui, Hipolyte – ordenou.

Um momento mais tarde, uma maravilhosa visão em laranja e preto subiu ao terraço, acompanhada de um forte perfume de flores exóticas.

– *Monsieur le comte* de la Roche?

– Ao seu dispor, mademoiselle – disse o conde, com uma reverência.

– Meu nome é Mirelle. O senhor deve ter ouvido falar de mim.

– Ah, de fato, quem nunca ficou maravilhado pela dança de mademoiselle Mirelle? Primorosa!

A dançarina recebeu o elogio com um sorriso breve e automático.

– Minha visita é informal.

– Mas queira sentar-se, eu imploro – pediu o conde, trazendo uma cadeira.

Por trás da galanteria de suas maneiras ele a observava atentamente. Havia muito pouca coisa que o conde não sabia a respeito das mulheres. De fato, sua experiência não havia se estendido muito a senhoras da categoria de Mirelle, predadoras elas próprias. Ele e a dançarina eram, em certo sentido, aves da mesma plumagem. Sabia que seus artifícios seriam inúteis em Mirelle, que era parisiense e muito astuta. Não obstante, havia uma única coisa que o conde sempre reconhecia quando via. Sabia que estava em presença de uma mulher furiosa, e uma mulher furiosa, estava bem ciente, sempre diz mais do que manda a prudência e é, por vezes, uma fonte de recursos para um cavalheiro sensato que saiba manter a calma.

– É muito amável de sua parte, mademoiselle, honrar assim minha humilde residência.

– Temos amigos em comum em Paris – disse Mirelle. – Ouvi falar do senhor por meio deles, mas vim vê-lo hoje por outra razão. Tenho ouvido falar do senhor desde que cheguei a Nice... de outra maneira, se é que me entende.

– Sim? – disse o conde, com delicadeza.

– Serei brutal – continuou a dançarina –, todavia, acredite, minha intenção é seu bem-estar. Estão dizendo em Nice que o senhor conde é o assassino daquela dama inglesa, madame Kettering.

– Eu! O assassino de madame Kettering? Que absurdo!

Falou de um modo mais lânguido que indignado, sabendo que assim a provocaria mais.

– Sim – ela insistiu –, é como estou dizendo.

– As pessoas se divertem com o falatório – murmurou o conde, indiferente –, mas eu me rebaixaria se levasse tais acusações a sério.

– O senhor não entende – Mirelle se inclinou, seus olhos negros cintilando. – Não se trata da conversa indolente das ruas, e sim da polícia.

– Da polícia... É?

O conde sentou-se, alerta mais uma vez.

Mirelle sacudiu a cabeça vigorosamente.

– Sim, sim. O senhor me entende... Tenho amigos em toda parte. O próprio prefeito... – ela deixou a frase inacabada, com um eloquente encolher de ombros.

– Quem não é indiscreto quando há uma linda mulher envolvida? – murmurou o conde, com delicadeza.

– A polícia acredita que o senhor matou madame Kettering, mas estão errados.

– Certamente estão errados – concordou o conde, com calma.

– O senhor diz isso, mas não sabe a verdade. Eu sei.

O conde olhou-a com curiosidade.

– Sabe quem matou madame Kettering? É isso o que quer me dizer, mademoiselle?

Mirelle balançou a cabeça com veemência.

– Sim.

– E quem foi? – perguntou o conde, de modo áspero.

– O marido – ela se inclinou ainda mais para o conde, falando com uma voz baixa, que vibrava com raiva e excitação. – Foi o marido que a matou.

O conde se reclinou em sua cadeira. Seu rosto era uma máscara.

– Se me permite perguntar, mademoiselle... Como sabe disso?

– Como sei? – Mirelle ergueu-se de um salto, rindo. – Ele vangloriou-se disso com antecedência. Estava arruinado, falido, desonrado. Somente a morte de sua esposa poderia salvá-lo. Disse-me isso. Viajava no mesmo trem... Mas ela não sabia. Por que isso, eu pergunto? Porque assim poderia se esgueirar até ela no meio da noite... Ah!... – ela fechou os olhos. – Posso até ver...

O conde pigarreou.

– Talvez... Talvez – murmurou. – Mas seguramente, mademoiselle, nesse caso ele não teria roubado as joias, não parece?

– As joias! – suspirou Mirelle. – As joias. Ah, aqueles rubis...

Seus olhos se enevoaram, deixando entrever uma luz distante. O conde olhou para ela com curiosidade, pensando pela centésima vez sobre a influência mágica das pedras preciosas sobre o sexo feminino. Ele a reconduziu para assuntos práticos.

– O que quer que eu faça, mademoiselle?

Mirelle tornou-se alerta e profissional outra vez.

– É bem simples. O senhor irá até a polícia e dirá a eles que o sr. Kettering cometeu o crime.

– E se não acreditarem em mim? Se me pedirem provas? – ele não desviava seus olhos dela.

Mirelle riu com delicadeza e enrolou-se em seu xale preto e laranja.

– Mande-os a mim, senhor conde – disse, em tom suave –, e eu lhes darei a prova que querem.

Depois disso, partiu, em um impetuoso vendaval, com sua missão cumprida.

O conde a seguiu com o olhar, as sobrancelhas erguidas de leve, e murmurou:

– Está furiosa. O que teria acontecido para descontrolá-la de tal maneira? Mas mostra suas cartas muito abertamente. Acredita mesmo que o sr. Kettering matou a esposa? Ela gostaria que eu acreditasse. Gostaria até que a polícia acreditasse.

Sorriu consigo mesmo. Não tinha a mais remota intenção de ir à polícia. Via várias outras possibilidades; uma visão muito agradável, a julgar pelo seu sorriso.

Logo depois, entretanto, seu rosto se anuviou. De acordo com Mirelle, a polícia suspeitava dele. Podia ser verdade ou não. Não era provável que uma mulher furiosa, como a dançarina, se preocupasse com a estrita veracidade de suas declarações. Por outro lado, poderia ter facilmente obtido... informações internas. Nesse caso – estreitou a boca em um esgar severo – deveria tomar certas precauções.

Entrou na casa e perguntou mais uma vez a Hipolyte se quaisquer pessoas estranhas haviam estado na residência. O criado assegurou que não. O conde foi para o seu quarto e se dirigiu até uma velha escrivaninha encostada na parede. Ergueu a tampa e seus dedos delicados procuraram por uma mola atrás de um dos escaninhos. Uma gaveta secreta abriu-se; nela havia um pequeno embrulho de papel pardo. O conde o apanhou e sopesou-o cautelosamente na mão por alguns instantes. Levando a mão à cabeça, com uma leve careta, puxou um único fio de cabelo e o colocou na borda da gaveta, fechando-a com cuidado. Ainda carregando o pacotinho na mão, desceu as escadas e saiu da casa em direção à garagem, na qual havia um carro vermelho de dois lugares. Dez minutos depois havia tomado a estrada para Monte Carlo.

Passou umas poucas horas no cassino, e então saracoteou pela cidade. Pouco depois, entrou de novo no carro e dirigiu na direção de Menton. Pouco antes do meio-dia, havia percebido um carro cinzento a uma distância discreta atrás dele, e agora notava-o outra vez. Sorriu para si mesmo. A estrada avançava em uma ladeira ascendente. O pé do conde pressionou com força o acelerador.

O carrinho vermelho havia sido construído de acordo com um projeto dele próprio, e tinha um motor mais potente do que sua aparência fazia crer. Logo disparou.

Pouco depois, o conde olhou para trás e sorriu. O carro cinza o estava seguindo. Coberto de poeira, o carrinho vermelho se lançou ao longo da estrada. Estava viajando em uma velocidade perigosa, mas o conde era um excelente motorista. Agora descia a colina, virando e dobrando sem parar, até que diminuiu a velocidade e por fim estacionou defronte um escritório dos correios. O conde desembarcou, levantou a tampa da caixa de ferramentas, extraiu dela o pequeno embrulho de papel pardo e se apressou a entrar na agência. Dois minutos depois, dirigia outra vez na direção de Menton. Quando o carro cinzento chegou lá, o conde estava bebendo o chá inglês das cinco no terraço de um dos hotéis da cidade.

Mais tarde, voltou para Monte Carlo, onde jantou, e chegou em casa mais ou menos às onze da noite. Hipolyte saiu para encontrá-lo com um rosto perturbado.

– Ah! O senhor conde chegou. O senhor não telefonou para cá, por acaso?

O conde negou com um sinal de cabeça.

– E ainda assim às três horas eu recebi uma ordem do senhor conde para me apresentar a ele em Nice, no Negresco.

– Verdade? – perguntou o conde. – E você foi?

– Certamente monsieur, mas no Negresco não sabiam nada do senhor conde. Não estivera lá.

– Ah! – disse o conde. – E sem dúvida àquela hora Marie estava fora fazendo as compras da tarde?

– Exato, senhor conde.

– Ah, bem – disse o conde –, não tem importância. Foi um equívoco.

Subiu as escadas, sorrindo consigo mesmo. Uma vez dentro do quarto, trancou a porta e lançou um olhar atento ao redor. Tudo parecia como sempre. Abriu várias gavetas e armários, com um aceno de cabeça. As coisas haviam sido recolocadas quase exatamente como ele as havia deixado, mas nem tanto. Era evidente que uma busca completa havia sido feita.

Foi até a escrivaninha e pressionou a mola oculta. A gaveta se abriu, mas o cabelo não estava mais onde o havia deixado. Sacudiu a cabeça, muitas vezes.

– Eles são excelentes, os policiais franceses. – murmurou para si mesmo. – Excelentes. Nada lhes escapa.

Capítulo 20

Katherine faz um amigo

Na manhã seguinte, Katherine e Lenox estavam sentadas no terraço da Villa Marguerite. Algo semelhante a uma amizade estava florescendo entre elas, a despeito da diferença de idade. Se não fosse por Lenox, Katherine acharia a vida na Villa Marguerite intolerável. O caso Kettering era o tópico do momento. Lady Tamplin explorava francamente, para todos que valessem a pena, a conexão de sua hóspede com o caso. As mais persistentes recusas de Katherine falhavam por completo em abalar a autoestima de lady Tamplin. Lenox adotou uma atitude imparcial, aparentemente divertindo-se com as manobras de sua mãe, e ainda assim com uma compreensão simpática em relação aos sentimentos de Katherine. Chubby, cujo prazer ingênuo era inextinguível, não fazia muito para melhorar a situação, apresentando Katherine a tudo e a todos desta forma:

– Esta é a srta. Grey. Sabe aquele negócio do Trem Azul? Está metida nele até o pescoço. Teve uma longa conversa com Ruth Kettering poucas horas antes do assassinato. Que sorte, não?

Umas poucas observações como essa levaram Katherine a réplicas incomumente mordazes naquela manhã, e, quando ficaram sozinhas, Lenox observou com sua fala lenta e arrastada:

– Não está acostumada com o sensacionalismo, não é? Tem ainda muito a aprender, Katherine.

– Sinto muito se perdi a cabeça. Tenho como norma não fazê-lo.

– Já é hora de você aprender a desabafar. Chubby é um asno, mas inofensivo. Mamãe, claro, é exasperante, mas você pode perder a calma com ela até o fim dos tempos e não causará nenhum efeito. Ela abrirá seus grandes e tristes olhos azuis e não se importará nem um pouco.

Katherine não respondeu à observação, e Lenox continuou.

– Eu sou mais como o Chubby. Delicio-me com um bom assassinato, e além do mais... Bem, conhecer Derek faz toda diferença. Então você almoçou com ele ontem – prosseguiu Lenox, pensativa. – Gosta dele, Katherine?

Katherine refletiu por algum tempo e respondeu, devagar:

– Não sei.
– Ele é muito atraente.
– Sim, ele é.
– O que a desgosta nele?

Katherine não respondeu à pergunta, ao menos não diretamente:

– Falou da morte da esposa. Disse que não fingiria que a morte dela não fora um golpe de sorte maravilhoso.

– E isso a perturbou, suponho – disse Lenox. Fez uma pausa, e então acrescentou, em um tom de voz estranho: – Ele gosta de você, Katherine.

– Compartilhamos um almoço muito agradável. – disse Katherine, sorrindo.

Lenox recusou-se a ser desviada e continuou, em tom pensativo:

– Percebi na noite em que ele veio aqui. O modo como a olhou; e você não é o tipo dele... Bem o contrário. Bom, suponho que é como religião... Você chega lá em uma determinada idade.

– Mademoiselle está sendo chamada ao telefone – disse Marie, aparecendo na janela do salão. – O sr. Hercule Poirot deseja falar com a senhorita.

– Mais sangue e fúria. Vá, Katherine, vá brincar com seu detetive.

A voz de monsieur Hercule Poirot chegou com uma entonação límpida e precisa aos ouvidos de Katherine.

– É mademoiselle Grey quem fala? *Bon*. Tenho um recado para a senhorita, de parte do sr. Van Aldin, pai de madame Kettering. Deseja muito falar-lhe, na Villa Marguerite ou no hotel em que está hospedado, o que a senhorita preferir.

Katherine refletiu por um momento e decidiu que a vinda de Van Aldin a Villa Marguerite seria tão dolorosa como desnecessária. Lady Tamplin saudaria aquela visita com algo muito além do deleite, pois nunca perdia a chance de cultivar a amizade de um milionário. Disse que preferia ir a Nice.

– Excelente, mademoiselle. Eu mesmo a apanharei em um automóvel. Digamos... em cerca de 45 minutos?

Poirot apareceu pontualmente no horário marcado. Katherine estava esperando por ele, e saíram em seguida.

– Bem, mademoiselle, como vão as coisas?

Ela olhou para os olhos cintilantes dele e confirmou sua primeira impressão, a de que havia algo muito atraente em Hercule Poirot.

– Este é o nosso *roman policier*, não é? – continuou Poirot. – Prometi que o examinaríamos juntos, e sempre cumpro minhas promessas.

– O senhor é muito gentil – murmurou Katherine.

– Ah, a senhorita zomba de mim, mas quer ouvir os desdobramentos do caso ou não?

Katherine admitiu que queria, e Poirot prosseguiu, esboçando um retrato em miniatura do conde de la Roche.

– O senhor acha que ele a matou... – disse Katherine, pensativa.

– Essa é a teoria – respondeu Poirot, cuidadosamente.

– E o senhor acredita nela?

– Não diria isso. E mademoiselle, o que acha?

Katherine sacudiu a cabeça.

– Como posso saber? Não sei nada a respeito de tais coisas. Mas eu poderia dizer que...

– Sim? – encorajou-a Poirot.

– Bem, pelo que o senhor diz, o conde não parece o tipo de homem que mataria alguém.

– Ah! Muito bom! – gritou Poirot. – A srta. concorda comigo; foi exatamente o que eu disse – olhou-a atentamente. – Mas conte-me, conheceu o sr. Derek Kettering?

– Encontrei-o na casa de lady Tamplin, e almocei com ele ontem.

– Um *mauvais sujet* – disse Poirot, com um balançar de cabeça –, mas *les femmes*... gostam dele, não?

Piscou para Katherine, que riu.

– É o tipo de homem que alguém notaria em qualquer lugar – Poirot continuou. – Sem dúvida a senhorita o observou no Trem Azul.

– Sim, eu o notei.

– No vagão-restaurante?

– Não. Não o vi durante as refeições. Só o vi uma vez... indo para o compartimento da esposa.

Poirot anuiu e murmurou.

– Coisa estranha. Creio que disse que estava acordada, madame, e que olhava pela janela em Lyon. Não viu nenhum homem alto e moreno, como o conde de la Roche, deixar o trem?

Katherine negou com a cabeça e disse:

– Creio que não vi ninguém deixar o trem. Havia um rapazinho muito novo, com uma boina e um casaco, que apeou, mas não acho que estava abandonando o comboio, apenas caminhando na plataforma. Havia um francês gordo e barbado, de pijama e sobretudo, que queria uma xícara de café. Além desses, só os empregados do trem.

Poirot sacudiu a cabeça muitas vezes e confidenciou.

– É assim, veja a senhorita. O conde de la Roche tem um álibi. Um álibi é uma coisa pestilenta e sempre levanta graves suspeitas... Mas aqui estamos!

Foram direto para a suíte de Van Aldin, onde encontraram Knighton, que Poirot tratou de apresentar a Katherine. Após breve troca de trivialidades, o major disse:

– Direi ao sr. Van Aldin que a srta. Grey está aqui.

Passou por uma porta de comunicação ao cômodo adjacente. Houve um murmúrio baixo de vozes, e então Van Aldin veio à sala e avançou até Katherine com a mão estendida, cobrindo-a ao mesmo tempo com um olhar astuto e penetrante.

– Prazer em conhecê-la, srta. Grey. Tenho querido muito ouvir o que a senhorita possa me dizer sobre Ruth.

A simplicidade tranquila das maneiras do milionário provocou em Katherine uma forte simpatia. Sentiu-se na presença de um luto genuíno, tornado mais real pela ausência de sinais exteriores.

Ele trouxe uma cadeira.

– Sente-se aqui, por favor, e conte-me tudo.

Poirot e Knighton retiraram-se discretamente para a outra sala, deixando Katherine e Van Aldin sozinhos. Ela não encontrou dificuldade na tarefa. De forma muito simples e natural, narrou sua conversa com Ruth Kettering, palavra por palavra, o mais próximo que pôde. Ele ouviu em silêncio, reclinado na cadeira, com a mão sobre os olhos. Quando ela terminou, disse com tranquilidade:

– Obrigado, minha querida.

Ambos mantiveram silêncio por algum tempo. Katherine sentiu que palavras de simpatia seriam inadequadas. Quando o milionário falou, foi em uma entonação diferente.

– Sou-lhe muito grato, srta. Grey. Acho que tranquilizou os ânimos de minha pobre Ruth em suas últimas horas de vida. Agora, gostaria de fazer uma pergunta. A senhorita sabe, monsieur Poirot já deve ter dito, a respeito do salafrário com que minha pobre garota havia se envolvido. O homem de quem ela lhe falou... O homem com quem estava indo encontrar. Em sua opinião, acha que ela pode ter mudado de ideia depois da conversa com a senhorita? Acha que quis dizer que voltaria atrás?

— Não posso dizer-lhe honestamente. Ela havia sem dúvida chegado a alguma decisão, e pareceu mais animada em consequência disso.

— E não deu nenhuma ideia de onde pretendia encontrar o calhorda... Se em Paris ou nas Hyères?

Katherine sacudiu a cabeça.

— Não disse nada disso.

— Ah — disse Van Aldin, pensativo —, e esse é o ponto importante. Bem, o tempo dirá.

Ergueu-se e abriu a porta da sala adjunta. Poirot e Knighton voltaram. Katherine declinou do convite do milionário para o almoço, e Knighton a escoltou até o carro, que a esperava. Retornou para encontrar Poirot e Van Aldin em uma profunda conversação.

— Se apenas soubéssemos — disse o milionário — a que decisão Ruth chegou. Pode ter sido uma em milhares. Pode ter decidido deixar o trem em Paris e mandar-me um cabograma. Pode ter decidido seguir para o sul da França e ter uma discussão com o conde lá. Estamos no escuro... absolutamente no escuro. Mas temos a palavra da aia de que ela estava surpresa e atemorizada com a aparição do conde na estação em Paris. Claramente não era parte do plano. Concorda comigo, Knighton?

O secretário teve um sobressalto:

— Perdão, sr. Van Aldin. Não estava ouvindo.

— Sonhando acordado, hein? — disse Van Aldin. — Não é do seu feitio. Creio que aquela garota deixou-o perturbado.

Knighton enrubesceu.

— É uma moça realmente encantadora — continuou Van Aldin, pensativo. — Muito bonita. Notou, por acaso, os olhos dela?

— Qualquer homem — disse Knighton — teria notado os olhos dela.

Capítulo 21

No tênis

Muitos dias se passaram. Katherine havia saído para um passeio sozinha, pela manhã, e voltou para encontrar Lenox sorrindo para ela, expectante.

– Seu rapaz lhe telefonou, Katherine.
– A quem chama de "meu rapaz"?
– Um novo... O secretário de Rufus van Aldin. Você parece ter produzido uma forte impressão nele. Está se tornando uma destruidora de corações, Katherine. Primeiro Derek Kettering, e agora o jovem Knighton. O engraçado é que eu me lembro muito bem dele. Estava no hospital de guerra que mamãe pôs para funcionar aqui. Eu tinha uns oito anos na época.

– Foi ferido com gravidade?
– Alvejado na perna, se me lembro corretamente... Ainda assim, um negócio bem desagradável. Acho que os médicos pioraram as coisas, porque disseram que ele não mancaria nem nada assim, mas quando saiu daqui estava coxo.

Lady Tamplin juntou-se a elas.

– Estava falando do major Knighton? – ela perguntou. – Um rapaz tão precioso! Logo de início eu não me lembrava dele... Eram tantos... Mas agora tudo está voltando.

– Ele era um tanto desimportante antes para ser lembrado – disse Lenox. – Agora que é o secretário do milionário americano, é uma questão muito diferente.

– Querida! – disse lady Tamplin em seu tom de vaga censura.

– O que o major queria ao telefone? – indagou Katherine.

– Perguntou se você gostaria de ir ao tênis esta tarde. Se sim, ele viria buscá-la de carro. Mamãe e eu aceitamos por você com *empressement*. Enquanto se entretém com o secretário, poderia me dar uma chance com o milionário, Katherine. Ele deve estar na casa dos sessenta anos, suponho. Andará à procura de uma coisinha jovem e doce como eu.

– Gostaria de conhecer o sr. Van Aldin – disse lady Tamplin, séria –, já ouvi falar tanto dele. Esses belos homens rudes do Oeste – interrompeu-se e murmurou –, tão fascinantes...

– O major Knighton fez questão de frisar que era um convite do sr. Van Aldin – continuou Lenox. – Disse isso tantas vezes que farejei segundas intenções. Você e Knighton formariam um belo casal, Katherine. Deus os abençoe, meus filhos.

Katherine riu e subiu as escadas para mudar de roupa.

Knighton chegou logo após o almoçou e resistiu com virilidade às efusões de reconhecimento de lady Tamplin.

Quando Knighton e Katherine se dirigiam para Cannes, comentou:

– Lady Tamplin mudou tão pouco.

– Em modos ou em aparência?

– Ambos. Ela deve ter, suponho, bem mais de quarenta, mas ainda é uma mulher notavelmente bonita.

– Sim, ela é – concordou Katherine.

– Estou contente que tenha podido vir hoje – continuou Knighton. – Monsieur Poirot estará lá também. Que homenzinho extraordinário é ele. Conhece-o bem, srta. Grey?

Katherine negou.

– Conheci-o no trem a caminho daqui. Estava lendo uma história de detetive e comentei, por acaso, que aventuras como aquelas não aconteciam na vida real. Claro, não tinha ideia de quem era ele.

– É uma pessoa notável – disse Knighton, devagar –, e já fez coisas incríveis. Tem uma espécie de gênio para ir à raiz de um problema e até o fim ninguém tem ideia do que ele está realmente pensando. Lembro-me de que estava hospedado em uma casa em Yorkshire, e as joias de lady Clanravon foram roubadas. Parecia a princípio ser um simples roubo, mas a polícia local ficou perplexa. Pedi a eles que chamassem Hercule Poirot e disse que ele era o único homem que poderia ajudá-los, mas preferiram confiar na Scotland Yard.

– E o que aconteceu? – disse Katherine, curiosa.

– As joias nunca foram recuperadas.

– O senhor realmente tem confiança nele.

– De fato. O conde de la Roche é um tipo bem matreiro, e saiu ileso da maioria de suas trapaças. Mas creio que finalmente encontrou um rival à altura em Hercule Poirot.

– O conde de la Roche... – disse Katherine, pensativa.
– Então pensa realmente que ele cometeu o crime?

Knighton olhou-a espantado.

– É claro. A senhorita não?

– Oh, sim – apressou-se em responder Katherine –, quer dizer, isso se não foi apenas um simples roubo de trem.

– Poderia ser, é claro – concordou o outro –, mas me parece que o conde se ajusta particularmente bem a esse caso.

– Ainda que tenha um álibi.

A face de Knighton rompeu em um atraente riso infantil:

– Oh, álibis! A srta. Grey lê histórias de detetives. Deve saber que qualquer um que tenha um álibi perfeito é sempre alvo de suspeitas.

– Acha que as coisas são assim na vida real? – perguntou Katherine, com um sorriso.

– Por que não? A ficção é fundamentada nos fatos.

— Mas é superior a eles — sugeriu Katherine.

— Talvez. De qualquer modo, fosse eu um criminoso, não gostaria de ter Hercule Poirot no meu encalço.

— Eu também não — disse Katherine, e sorriu.

Foram recebidos na chegada por Poirot. Como o dia estava quente, trajava um fato folgado de linho branco com uma camélia também branca na lapela.

— *Bonjour, mademoiselle*. Pareço bastante inglês, não?

— O senhor está esplêndido — disse Katherine.

— A senhorita zomba de mim, mas não tem importância — respondeu Poirot, em tom cordial. — Papa Poirot sempre ri por último.

— Onde está o sr. Van Aldin? — perguntou Knighton.

— Vai nos encontrar em nossos lugares. Para dizer a verdade, meu amigo, não está muito satisfeito comigo. Oh, esses americanos... não conhecem a calma, o repouso. O sr. Van Aldin gostaria que eu me abalasse na perseguição dos criminosos através de todos os atalhos de Nice.

— Penso que não seria um mau plano.

— Pois está errado — disse Poirot —; nesses assuntos, o que se precisa não é de energia, e sim de elegância. Em uma partida de tênis, encontra-se todo mundo, e isso é muito importante. Ah, ali está o sr. Kettering.

Derek veio até eles abruptamente. Parecia apressado e furioso, como se algo o tivesse perturbado. Ele e Knighton se cumprimentaram com alguma frieza. Apenas Poirot não pareceu tomar conhecimento da atmosfera carregada e tagarelou, amável, em uma louvável tentativa de deixar a todos confortáveis. Distribuiu elogios.

— É impressionante, sr. Kettering, o quanto o senhor fala bem o francês — observou. — Tão bem que poderia passar por francês se quisesse. É uma característica muita rara entre os ingleses.

— Gostaria de ser assim — disse Katherine. — Mas sei muito bem que meu francês é dolorosamente britânico.

Chegaram a seus lugares e sentaram-se, e quase de imediato Knighton percebeu seu empregador fazendo sinais do outro lado da quadra. Saiu para falar com ele.

– Quanto a mim, admiro esse rapaz – disse Poirot, dirigindo ao secretário um sorriso radiante. – E a senhorita?

– Gosto muito dele.

– E o sr. Kettering?

Uma réplica impaciente aflorou aos lábios de Derek, mas ele a conteve depois que alguma coisa nos olhos cintilantes do belga o pôs em alerta. Falou com cuidado, escolhendo as palavras.

– Knighton é um camarada muito bom.

Por um momento, Katherine achou que Poirot parecia desapontado.

– É grande admirador seu, monsieur Poirot – disse, e contou algumas das coisas que Knighton havia relatado, admirada de ver o homenzinho estufar o peito como um pássaro e assumir um ar de falsa modéstia que não iludiria ninguém.

– O que me lembra, mademoiselle – ele disse, de súbito –, que tenho um assuntinho de negócios a tratar com a senhorita. Quando estava sentada conversando com a pobre senhora no trem, creio que deve ter deixado cair uma cigarreira.

Katherine pareceu confusa ao dizer:

– Acho que não.

Poirot tirou do bolso uma cigarreira de couro azul, macio, com a inicial "K" gravada em dourado.

– Não, não é minha – disse Katherine.

– Ah, mil desculpas. Sem dúvida pertencia à própria madame. "K", é claro, é de Kettering. Estávamos em dúvida, porque ela tinha outra cigarreira na bolsa, e pareceu estranho que trouxesse duas – Poirot se virou de repente para Derek. – O senhor não sabe, presumo, se esta cigarreira era ou não de sua esposa?

Derek pareceu momentaneamente perplexo, e gaguejou em sua resposta.

– Eu... eu não sei, suponho que seja.

– Por acaso não seria sua?

– Certamente que não. Se fosse minha, dificilmente estaria em posse de minha esposa.

Poirot parecia mais ingênuo e infantil do que nunca.

– Achei que talvez o senhor a tivesse deixado cair quando esteve no compartimento dela – explicou, com sinceridade.

– Nunca estive lá. Já disse isso à polícia uma dúzia de vezes.

– Mil perdões – disse Poirot, com seu ar mais compungido. – Foi mademoiselle aqui que mencionou tê-lo visto se dirigindo para lá.

Ele parou com um ar de embaraço.

Katherine olhou para Derek. O rosto dele parecia pálido, mas talvez fosse só impressão. Quando riu, a risada veio bastante natural.

– Enganou-se, srta. Grey – disse, com calma. – Pelo que me disse a polícia, deduzi que meu compartimento ficava a apenas uma ou duas portas de distância do de minha esposa... Ainda que eu nunca tenha suspeitado desse fato na época. Deve ter me visto a caminho de minha própria cabine.

Levantou-se ao ver Van Aldin e Knighton se aproximando e anunciou.

– Vou deixá-los agora. Não posso, por preço algum, aguentar meu sogro.

Van Aldin saudou Katherine com muita cortesia, mas estava, é claro, de mau humor.

– Parece muito interessado em assistir ao tênis, monsieur Poirot – resmungou.

– É um prazer para mim – respondeu Poirot, placidamente.

– Que bom que o senhor está na França – disse Van Aldin. – Somos um pouco mais rígidos nos Estados Unidos. Lá os negócios vêm antes do prazer.

Poirot não se ofendeu; na verdade, sorriu de modo gentil e confiante para o iracundo milionário.

– Não se irrite, eu suplico. Cada um tem seus métodos. Quanto a mim, sempre achei uma ideia deliciosa e agradável combinar negócios e prazer.

Lançou um olhar aos outros dois. Estavam em absorta conversação um com o outro. Poirot balançou a cabeça em sinal de satisfação, e então se inclinou para o milionário, baixando o tom da voz:.

– Não é apenas pelo prazer que estou aqui, sr. Van Aldin. Observe no lado oposto ao nosso aquele homem velho e alto... Aquele com o rosto macilento e a barba venerável.

– Bem, o que tem ele?

– Aquele é monsieur Papopolous – disse Poirot.

– Grego?

– Como o senhor bem disse, grego. É um negociante de antiguidades de reputação mundial. Tem uma pequena loja em Paris, e a polícia suspeita que seja também algo mais.

– O quê?

– Um receptador de mercadorias roubadas, especialmente joias. Não há nada que ele não saiba a respeito de relapidação e reengaste de gemas. Negocia com a mais alta nobreza da Europa e com a mais baixa ralé do submundo.

Van Aldin olhou para Poirot com a atenção subitamente despertada.

– Bem? – perguntou, uma nova entonação na voz.

Poirot bateu no próprio peito, dramático:

– Eu me pergunto, eu, Hercule Poirot, me pergunto *por que* monsieur *Papopolous de repente está em Nice?*

Van Aldin estava impressionado. Por um momento, havia duvidado de Poirot e suspeitado que o homenzinho era coisa do passado, alguém que apenas mantinha a pose.

Agora, de uma só vez, havia voltado à sua opinião original. Olhou para o pequeno detetive.

– Devo-lhe desculpas, monsieur Poirot.

Poirot recusou as desculpas com um gesto extravagante e exclamou:

– Ora! Nada disso tem importância. Agora escute, sr. Van Aldin; tenho notícias.

O milionário lançou-lhe um olhar atento e pleno de interesse. Poirot continuou:

– Digo que o senhor ficará interessado. Como sabe, o conde de la Roche tem estado sob vigilância desde seu depoimento ao juiz de instrução. Um dia depois daquilo, durante sua ausência, a Villa Marina foi vasculhada pela polícia.

– Bem – disse Van Aldin –, eles encontraram algo? Aposto que não.

Poirot fez-lhe uma breve mesura.

– Sua perspicácia não falha, sr. Van Aldin. Não encontraram nada de natureza incriminadora, e nem era esperado que encontrassem. O conde de la Roche, como vocês dizem em seu expressivo idioma, não nasceu ontem. É um cavalheiro astuto com grande experiência.

– Bem, continue – resmungou Van Aldin.

– Pode ser, é claro, que o conde não tenha nada comprometedor a esconder. Mas não podemos negligenciar a possibilidade. E se tem algo a ocultar, onde está? Não na casa... A polícia procurou minuciosamente. Não está com ele, porque sabe que está sujeito a ser preso a qualquer minuto. Resta... o automóvel. Como eu disse, ele estava sob vigilância. Foi seguido naquele dia até Monte Carlo. Dali, dirigiu sozinho até Menton. Seu carro é muito potente e tomou distância dos perseguidores. E por aproximadamente quinze minutos perderam completamente o rastro dele.

– E durante esse tempo o senhor acredita que ele escondeu algo em algum ponto da estrada? – perguntou Van Aldin, muito interessado.

– Em algum ponto da estrada não. *Ça n'est pas pratique.* Mas ouça... Fiz uma pequena sugestão ao sr. Carrège, e ele graciosamente a aprovou. Investigaram cada posto de correio das imediações procurando alguém que conhecesse o conde de vista. Porque, veja, monsieur. A melhor maneira de esconder algo é enviando pelo correio.

– E? – perguntou Van Aldin, o rosto iluminado de interesse e expectativa.

– E... *voilà!* – com um floreio dramático, Poirot retirou do bolso um pacote de papel pardo, semiaberto, do qual os barbantes haviam sido removidos. – Durante aqueles quinze minutos, nosso bom cavalheiro postou isto.

– O endereço? – perguntou o outro, ríspido.

Poirot respondeu com um meneio de cabeça.

– Poderia nos dar alguma pista, mas infelizmente não é o caso. O pacote estava endereçado a umas dessas banquinhas de jornal em Paris onde cartas e embrulhos são mantidos até serem resgatados mediante o pagamento de uma pequena comissão.

– Sim, mas o que há dentro? – perguntou Van Aldin impaciente.

Poirot desembrulhou o papel pardo, revelando uma caixa quadrada de cartolina, e olhou ao redor.

– É uma boa hora – disse, com tranquilidade –, todos os olhos estão voltados para a partida. Veja, monsieur!

Ergueu a tampa da caixa por uma fração de segundo. Uma exclamação de total assombro escapou ao milionário. Sua face tornara-se branca como giz.

– Meu Deus – suspirou –, os rubis.

Sentou-se, estupefato. Poirot devolveu a caixa ao bolso e sorriu placidamente. Súbito, o milionário pareceu sair do transe, inclinou-se para Poirot e apertou sua mão com tanto vigor que o homenzinho retorceu-se de dor.

– Isso é maravilhoso – disse Van Aldin. – Maravilhoso! O senhor é dos bons, monsieur Poirot. De uma vez por todas, o senhor é o melhor.

– Não é nada – disse Poirot com modéstia. – Ordem, método, estar preparado para qualquer eventualidade... Isso é tudo.

– E a esta hora, suponho, o conde de la Roche está preso – continuou Van Aldin, ansioso.

– Não – respondeu Poirot.

Um olhar de completa perplexidade assomou ao rosto de Van Aldin.

– Mas por quê? O que mais querem os senhores?

– O álibi do conde continua inabalável.

– Mas isso é absurdo.

– Sim – disse Poirot. – Também penso que é absurdo, mas infelizmente temos de provar que é.

– E nesse meio-tempo ele lhes escapará por entre os dedos.

Poirot sacudiu a cabeça, enérgico e disse:

– Não... não escapará. A única coisa que o conde não pode se permitir sacrificar é a posição social. A qualquer custo, vai ficar e nos enfrentar, com descaramento.

Van Aldin ainda não estava satisfeito.

– Mas não vejo como...

Poirot ergueu a mão.

– Conceda-me um momentinho, monsieur Van Aldin. Tenho uma ideia. Muitos já zombaram das ideias de Hercule Poirot... E estavam errados.

– Bem – disse Van Aldin –, vá em frente. Qual é a ideia?

Após uma pausa, Poirot disse:

– Vou procurar pelo senhor no seu hotel, amanhã pela manhã, onze em ponto. Até lá, não diga nada a ninguém.

Capítulo 22

O desjejum do sr. Papopolous

O sr. Papopolous tomava seu café da manhã. No lado oposto da mesa, estava sentada sua filha, Zia.

Ouviram uma batida na porta do vestíbulo, e um garoto de recados entrou, trazendo um cartão para o sr. Papopolous. Este o examinou, ergueu as sobrancelhas e o passou para a filha.

– Ah! – disse o sr. Papopolous, coçando a orelha esquerda, pensativo. – Pergunto-me o que quer de mim Hercule Poirot.

Pai e filha se entreolharam.

– Eu o vi ontem no Tênis – continuou o sr. Papopolous. – Zia, eu definitivamente não gosto disso.

– Ele já foi muito útil para o senhor, uma vez – a filha tratou de recordar-lhe.

Papopolous concordou.

– É verdade. E também ouvi dizer que se aposentou do serviço ativo.

Aquele debate entre pai e filha havia se dado em seu próprio idioma. Depois disso, o sr. Papopolous virou-se para o garoto de recados e disse em francês:

– *Faîtes monter ce monsieur.*

Em poucos minutos, Hercule Poirot entrou no quarto, trajado de modo impecável e balançando uma bengala com um ar garboso.

– Meu caro monsieur Papopolous.

– Meu caro monsieur Poirot.

– E mademoiselle Zia – Poirot curvou-se para ela com uma mesura.

– Vai nos desculpar se continuamos com nosso desjejum – disse o sr. Papopolous, servindo-se de outra xícara de café. – O senhor nos procurou... aham... um pouco cedo.

– Um escândalo, eu sei. Mas compreenda, estou com muita pressa.

– Ah! – murmurou o sr. Papopolous. – Então está em um caso?

– Um caso muito sério – respondeu Poirot –: a morte de madame Kettering.

– Deixe-me ver – Papopolous olhou para o teto com um ar inocente. – É a dama que morreu no Trem Azul, não? Vi uma menção a isso nos jornais, mas não havia nenhuma menção a um crime.

– No interesse da justiça, achou-se melhor suprimir esse fato.

Houve uma pausa, ao fim da qual o negociante perguntou, com delicadeza:

– E de que maneira posso ajudá-lo, monsieur Poirot?

– *Voilà* – disse Poirot –, irei direto ao ponto.

Tirou do bolso a mesma caixa que havia mostrado a Van Aldin em Cannes, abriu-a, virou os rubis sobre a mesa e os empurrou na direção de Papopolous.

Embora Poirot estivesse observando-o atentamente, nenhum músculo se moveu na face do velho. Apanhou as joias, examinou-as com uma espécie de interesse imparcial e então lançou ao detetive um olhar inquiridor.

– Soberbos, não? – perguntou Poirot.

– De fato, excelentes – disse o sr. Papopolous.

– Quanto o senhor diria que valem?

O rosto do grego traiu um leve estremecimento.

– É realmente necessário dizê-lo, monsieur Poirot?

– É muito perspicaz, monsieur Papopolous. Não, não é. Não valeriam, por exemplo, quinhentos mil dólares?

Papopolous riu, e Poirot riu com ele.

– Para imitações, são excelentes, como eu disse – respondeu Papopolous, devolvendo os rubis. – Seria indiscreto de minha parte perguntar, monsieur Poirot, onde os obteve?

– De modo algum. Não tenho objeção alguma em contar algo assim a um velho amigo. Estavam com o conde de la Roche.

As sobrancelhas de Papopolous ergueram-se de modo eloquente enquanto ele murmurava:

– É mesmo?

Poirot inclinou-se para frente, assumiu o seu ar mais inocente e encantador e disse:

– Sr. Papopolous, deixe-me pôr as cartas na mesa. Os originais destas joias foram roubados de madame Kettering no Trem Azul. Antes de mais nada, permita-me dizer que *não estou preocupado com a recuperação das joias. É um assunto para a polícia.* Não estou trabalhando para a polícia, mas para o sr. Van Aldin, e quero colocar minhas mãos no homem que matou madame Kettering. Meu interesse nas joias é apenas até o ponto em que podem me levar a esse homem. O senhor me entende?

A última frase foi proferida de modo significativo. O sr. Papopolous, impassível, disse, muito calmo:

– Continue.

– A mim me parece provável, monsieur, que as joias passarão a outras mãos em Nice... Se já não passaram.

– Ah! – disse o sr. Papopolous e sorveu seu café, pensativo, em um gesto que lhe fez parecer ainda mais nobre e patriarcal que de costume.

– Então eu disse para mim mesmo – continuou Poirot, animado –: mas que boa sorte! Meu velho amigo, o sr. Papopolous, está em Nice. Ele há de me ajudar.

– Como pensa que eu poderia ajudá-lo? – indagou o sr. Papopolous, com frieza.

– Eu disse a mim mesmo: sem dúvida o sr. Papopolous está em Nice a negócios.

– De modo algum! Estou aqui pela minha saúde... Por recomendação médica – disse o sr. Papopolous, e simulou uma tosse.

– Estou desolado em ouvir isso – respondeu Poirot, com uma simpatia um tanto insincera –, mas continuemos.

Quando um grão-duque russo, um arquiduque austríaco ou um príncipe italiano deseja dispor de suas joias de família... quem procura? Não é o sr. Papopolous, famoso em todo o mundo pela discrição com que realiza tais negócios?

O outro fez um gesto cortês.

– O senhor me lisonjeia.

– É inestimável, a discrição – refletiu Poirot, no que foi recompensado com o sorriso fugaz que cruzou o rosto do grego. – Eu também posso ser discreto.

Os olhos dos dois homens se encontraram, e então Poirot seguiu falando muito baixo, obviamente escolhendo com cuidado as palavras.

– Isto foi o que eu disse a mim mesmo: se essas joias tivessem mudado de mãos em Nice, o sr. Papopolous teria ouvido algo a respeito. Tem conhecimento acerca de tudo o que se passa no mundo da joalheria.

– Ah! – disse o sr. Papopolous, e serviu-se de um croissant.

– O senhor compreende que a polícia está fora desse assunto, é um caso pessoal – disse Poirot.

– Sempre se ouvem rumores – admitiu o sr. Papopolous cautelosamente.

– Tais como? – instigou-o Poirot

– Há alguma razão pela qual eu deva repassá-los ao senhor?

– Sim – disse Poirot –, acredito que sim. Deve estar lembrado, sr. Papopolous, que há dezessete anos havia um certo artigo em suas mãos, deixado como garantia por uma pessoa muito... ahn... proeminente. Estava sob sua responsabilidade e desapareceu sem explicação. O senhor estava, se posso usar a expressão, em maus lençóis.

Os olhos dele se moveram, gentis, até a garota. Ela havia posto de lado a xícara e o prato e ouvia atentamente, com os cotovelos fincados na mesa e o queixo amparado nas mãos. Mantendo um olho nela, Poirot continuou.

— Eu estava em Paris naquela época. O senhor foi me procurar e pediu a minha ajuda. Se eu restituísse aquele... item, poderia contar com sua eterna gratidão. *Eh bien*! Eu o restituí.

O sr. Papopolous exalou um longo suspiro e murmurou:

— Foi o momento mais desagradável de minha carreira.

— Dezessete anos é um longo tempo, mas creio que estou certo em dizer, monsieur Papopolous, que o seu povo não se esquece dessas coisas.

— Os gregos? — murmurou Papopolous, com um sorriso irônico.

— Não me referia aos gregos... — disse Poirot.

Houve um silêncio ao fim do qual o velho empertigou-se, com orgulho, e disse tranquilamente:

— O senhor está certo, monsieur Poirot. Sou judeu. E, como o senhor disse, o meu povo não esquece.

— Vai me ajudar, então?

— A respeito das joias, não posso fazer nada.

O velho escolhia com cautela as palavras, como Poirot fizera pouco antes.

— Não sei de nada. Não ouvi nada. Mas posso, talvez, dar-lhe uma boa dica... Isto é, se está interessado em corridas.

— Sob determinadas circunstâncias, posso estar — disse Poirot, encarando-o com firmeza.

— Há um cavalo correndo em Longchamps que poderia, creio, interessá-lo. Não posso dizer com certeza, o senhor entende; essas informações passam por muitas pessoas.

Ele parou, olhando fixo para Poirot, como se quisesse ter certeza de que o outro o estava entendendo.

— Perfeitamente — anuiu Poirot.

— O nome do cavalo — disse o sr. Papopolous, reclinando-se e unindo as pontas dos dedos — é Marquês.

Acredito, mas não estou bem certo, que é um cavalo inglês, não é, Zia?

– Acho que sim – disse a garota.

Poirot ergueu-se vivamente e disse:

– Grato, monsieur. É inestimável ter acesso ao que os ingleses chamam de informação de cocheira. *Au revoir*, e muito obrigado.

Virou-se para a garota.

– *Au revoir, mademoiselle* Zia. Parece que foi ontem que a vi pela última vez, em Paris. Parece que se passaram no máximo dois anos.

– Há uma grande diferença entre 16 e 33 anos – disse Zia, com tristeza.

– Não no seu caso – declarou Poirot, galante. – Você e seu pai talvez pudessem me dar o prazer de jantar comigo uma noite dessas.

– O prazer será nosso – respondeu Zia.

– Combinemos, então – declarou Poirot –, e agora... *je me sauve.*

Poirot caminhou pela rua cantarolando uma melodia. Girava a bengala com garbo e sorria tranquilo para si próprio. Entrou no primeiro escritório de correios e despachou um telegrama. Levou algum tempo para escrevê-lo, porque o fez em código e ele teve de recuperar os significados na memória. Aparentemente, tratava de um alfinete de gravata perdido, e estava endereçado ao inspetor Japp, da Scotland Yard.

Decodificado, ia direto ao ponto: *Mande-me tudo que sabe sobre homem cujo apelido é Marquês.*

Capítulo 23

Uma nova teoria

Eram exatamente onze horas quando Poirot se apresentou no hotel de Van Aldin e encontrou o milionário sozinho.

– É pontual, monsieur Poirot – disse, sorridente, enquanto se levantava para cumprimentar o detetive.

– Sou pontual. Sempre observo a exatidão. Sem ordem e método... – disse Poirot, e então se interrompeu. – Ah, mas é possível que eu já tenha dito tais coisas ao senhor antes. Vamos de uma vez ao objetivo de minha visita.

– Sua ideia.

– Sim, minha ideia – Poirot sorriu. – Antes de tudo, monsieur, gostaria de entrevistar uma vez mais a criada, Ada Mason. Ela está aqui?

– Sim, está.

– Ah!

Van Aldin olhou para Poirot com curiosidade. Tocou a campainha e logo um mensageiro foi enviado à procura de Mason.

Poirot saudou-a alegremente, com sua costumeira gentileza, que nunca deixava de surtir efeito naquela classe em particular.

– Bom dia, mademoiselle. Faça o favor de sentar-se, se monsieur permitir.

– Sim, sim, sente-se, garota – disse Van Aldin.

– Obrigado, senhor – disse Mason, em um tom afetado, e sentou-se bem na beirada da poltrona. Parecia ainda mais magra e azeda do que antes.

– Vim fazer mais algumas perguntas – disse Poirot. – Temos de chegar ao âmago deste caso. Retorno à questão do homem no trem. Foi-lhe pedido que olhasse o conde de la Roche, e você disse que era possível que ele fosse o homem, mas que não estava certa disso.

– Como eu disse, *sir*, nunca vi o rosto do cavalheiro, o que torna tudo difícil.

Poirot assentiu com um sorriso.

– Exato. Entendo bem a dificuldade. Mas mademoiselle esteve a serviço de madame Kettering por dois meses, foi o que disse. Durante esse tempo, quantas vezes viu seu patrão, o sr. Kettering?

Mason refletiu algum tempo antes de responder:
– Só duas, *sir*.
– E estava perto ou longe dele?
– Uma vez ele veio até a Curzon Street. Eu estava no andar de cima, espiei por sobre o corrimão e pude vê-lo no salão logo abaixo. Estava um pouco curiosa, o senhor entende, pois sabia como as coisas... eram – Mason concluiu a frase com um pigarro discreto.

– E a outra vez?
– Foi no parque, *sir*, com Annie, uma das domésticas. Ela me apontou o patrão, que caminhava ao lado de uma dama estrangeira.

Poirot anuiu outra vez.

– Agora escute, Mason, esse homem que você viu no vagão falando com sua patroa na Gare de Lyon, como sabe que não era seu patrão?

– O patrão, senhor? Oh, não acho que poderia ser ele.

– Mas não tem certeza – insistiu Poirot.
– Bem... Nunca havia pensado nisso, senhor.
Mason estava claramente incomodada com a ideia.

– Você ouviu que seu patrão também estava no trem. O que poderia ser mais natural que ele fosse o homem que vinha pelo corredor?

– Mas o cavalheiro que estava falando com minha patroa deve ter vindo de fora do trem, senhor. Estava vestido para a rua, com um sobretudo e um chapéu mole.

— Que seja, mademoiselle, mas pense um pouco. O trem havia recém chegado à Gare de Lyon. Muitos passageiros haviam saído para passear na plataforma. Sua patroa estava prestes a fazer o mesmo, e com esse propósito deve, sem dúvida, ter colocado o casaco de pele, não?

— Sim, senhor — concordou Mason.

— Seu patrão então faz o mesmo. O interior do trem está abafado, mas do lado de fora, na estação, está frio. Ele põe o sobretudo e o chapéu e caminha ao longo da plataforma. Olhando para as janelas iluminadas, vê, de súbito, madame Kettering. Até então, não fazia ideia de que ela estava no trem. Naturalmente, sobe outra vez no vagão e vai até a cabine dela. Ela solta uma exclamação de surpresa ao vê-lo e fecha com rapidez a porta que separa os compartimentos, já que é possível que a conversa entre ambos venha a ser de natureza privada.

Recostou-se em sua cadeira e observou a sugestão fazer efeito devagar. Ninguém sabia melhor que Hercule Poirot que a classe à qual Mason pertencia não podia ser apressada. Precisava dar a ela tempo para livrar-se das próprias ideias preconcebidas. Ao fim de três minutos, ela falou:

— Bem, é claro, senhor, deve ter sido assim. Nunca havia pensado dessa maneira. O patrão é alto e moreno, e mais ou menos da mesma constituição. Foi a visão do chapéu e do casaco que me fez concluir que era um cavalheiro vindo de fora do trem. Sim, pode ter sido o patrão. Mas eu não diria, da mesma forma, que tenho certeza.

— Muito obrigado, mademoiselle. Não vou exigir mais de você. Ah, apenas mais uma coisa — retirou de seu bolso a cigarreira que já havia mostrado a Katherine e perguntou a Mason —: isto pertence à sua senhora?

— Não, senhor, não é dela... a menos...

Pareceu subitamente confusa. Era óbvio que uma ideia estava tomando forma em sua mente.

— Sim? — encorajou Poirot.

— Creio, *sir*... Posso não ter certeza, mas creio... que é uma cigarreira que a madame comprou para presentear o patrão.

— Ah! – disse Poirot, de um jeito descompromissado.

— Mas se a deu a ele ou não, não posso dizer, é claro.

— Precisamente – disse Poirot. – É tudo, mademoiselle. Desejo-lhe uma boa tarde.

Ada Mason se retirou com discrição, fechando a porta sem ruído.

Poirot olhou para Van Aldin com um sorriso radiante. O milionário parecia atônito.

— O senhor... O senhor acha que foi Derek? – indagou. – Mas... tudo aponta para a outra direção. Até porque o conde foi verdadeiramente pego no ato na posse daquelas joias.

— Não.

— Mas o senhor me disse...

— O que eu disse?

— Aquela história sobre as joias. O senhor as mostrou para mim.

— Não.

Van Aldin lançou-lhe um olhar fixo.

— O senhor quer dizer que não as mostrou para mim?

— Não.

— Ontem... No jogo de tênis.

— Não.

— Está doido, sr. Poirot, ou eu estou?

— Nenhum de nós está doido – disse o detetive. – O senhor me fez uma pergunta, eu a respondi. Disse que eu havia mostrado as joias ontem, e eu respondi: não. O que mostrei ao senhor foram excelentes imitações, difíceis de serem discernidas das reais, exceto por um especialista.

Capítulo 24

Poirot dá um conselho

O milionário precisou de alguns minutos para compreender a coisa toda. Olhava para Poirot com uma expressão confusa. O pequeno belga anuiu gentilmente com meneios de cabeça e disse:

– Isso modifica tudo, não?

– Imitações! – ele disse, e se inclinou para Poirot. – Tinha essa ideia o tempo todo, sr. Poirot? O tempo todo era essa a linha que estava seguindo? Nunca acreditou que o conde de la Roche fosse o assassino?

Poirot respondeu, tranquilo:

– Tinha minhas dúvidas e expressei muitas delas. Assalto com violência e assassinato? – ele sacudiu a cabeça de modo enérgico. – Não, é difícil de imaginar. Não condiz com a personalidade do conde de la Roche.

– Mas acredita que ele pretendia roubar os rubis?

– Certamente, não há dúvida a respeito disso. Vou relatar o caso da maneira como o vejo. O conde soube dos rubis e formulou seus planos. Inventou uma história romântica sobre um livro que estava escrevendo, de forma a induzir sua filha a trazê-los com ela. Providenciou duplicatas exatas. Parece claro, não, que pretendia substituir as joias. Madame, sua filha, não era uma especialista. Levaria provavelmente um bom tempo até que descobrisse o que havia ocorrido. E quando descobrisse, bem, não creio que denunciaria o conde. Muita coisa viria à tona, porque ele estaria de posse de várias cartas escritas por ela. Oh, sim, um ardil muito seguro, do ponto de vista do conde... Provavelmente já o pôs em prática antes.

– Parece claro o bastante, sim – disse Van Aldin, pensativo.

– E se ajusta à personalidade do conde de la Roche – completou Poirot.

– Sim, mas agora... – Van Aldin olhou de modo perspicaz para o outro – o que realmente aconteceu? Diga-me, sr. Poirot.

Poirot encolheu os ombros e disse:

– É muito simples. Alguém se adiantou ao conde.

Houve uma longa pausa, e Van Aldin pareceu revolver o caso em sua mente. Quando finalmente falou, deixou os rodeios de lado:

– Há quanto tempo suspeita de meu genro, sr. Poirot?

– Desde o início. Ele tinha o motivo e a oportunidade. Todos tomaram por certo que o homem na cabine de madame em Paris era o conde de la Roche. Eu também. Então, como por acaso, o senhor mencionou que havia, certa vez, confundido o conde com seu genro. Isso me confirmou que eram da mesma altura e constituição física, e tinham até o mesmo tom de pele, o que pôs algumas ideias curiosas na minha cabeça. A criada trabalhava para sua filha havia pouco tempo. Era improvável que conhecesse bem a aparência do sr. Kettering, uma vez que ele não está morando na Curzon Street; e também o homem havia tido o cuidado de manter o rosto oculto.

– O senhor acredita que... ele a matou? – disse Van Aldin, com a voz rouca.

Poirot apressou-se em erguer a mão:

– Não, não, eu não disse isso... Mas é uma possibilidade muito forte. Ele estava encurralado, ameaçado com a ruína, e essa podia ser a única saída.

– Mas por que levar as joias?

– Para fazer parecer um crime cometido por simples ladrões de trem. Caso contrário, as suspeitas recairiam sobre ele.

– Se foi assim, o que terá feito com os rubis?

– Isso ainda permanece em aberto. Há várias possibilidades. Há um homem em Nice que pode nos ajudar, aquele que eu indiquei no tênis.

Levantou-se. Van Aldin fez o mesmo, pousou a mão sobre o ombro do homenzinho e falou, em uma voz áspera e emocionada:

– Encontre para mim o assassino de Ruth. É tudo o que peço.

Poirot empertigou-se e disse, com formalidade:

– Deixe tudo nas mãos de Hercule Poirot, não tenha medo. Eu descobrirei a verdade.

Esfregou uma mancha de poeira no chapéu, dirigiu ao milionário um sorriso tranquilizador e deixou a sala. Contudo, à medida que descia as escadas, a confiança ia desaparecendo de seu rosto.

– Está tudo muito bem – murmurava para si mesmo –, mas há dificuldades, sim, há grandes dificuldades.

Ao sair do hotel, estacou, de súbito. Um carro havia estacionado na frente da porta. Dentro dele, estava Katherine Grey, e Derek Kettering, de pé do lado de fora, falava-lhe em um tom alegre. Pouco depois, o carro arrancou e Derek ficou na calçada. Olhou a partida do veículo com uma expressão indefinível, fez um repentino gesto de impaciência com os ombros, suspirou profundamente e se virou para topar com Hercule Poirot ao seu lado. Não conseguiu refrear a surpresa. Os olhares dos dois homens se encontraram. O de Poirot, firme e resoluto, e o de Derek com uma espécie de desafio descontraído. Erguendo de leve as sobrancelhas, disse, com um tom de zombaria no qual havia um toque de sarcasmo:

– Ela é uma graça, não é? – perguntou, com a maior naturalidade.

– Sim – Poirot respondeu, pensativo. – Isso descreve mademoiselle Katherine muito bem. É uma frase muito inglesa, e mademoiselle Katherine é, também, muito inglesa.

Derek não respondeu e permaneceu perfeitamente imóvel.

– E além de tudo ela é *sympathique*, não é?

– Sim, não há muitas como ela – disse Derek com suavidade, como se pensasse alto.

Poirot balançou a cabeça de modo significativo, aproximou-se do outro e falou em um tom de voz diferente, um tom grave e tranquilo que era novidade para Derek Kettering:

– O senhor perdoará um homem velho, monsieur, se ele disser algo que pareça impertinente, mas há um desses seus provérbios ingleses: "É preciso terminar um amor antigo antes de começar um novo".

Kettering virou-se para ele com fúria.

– O que diabos quer dizer?

– O senhor se irrita comigo, como eu já esperava – disse Poirot placidamente. – Quanto ao que eu quero dizer... Quero dizer, monsieur, que há um segundo carro com uma dama dentro dele. O senhor a verá se virar a cabeça.

Derek olhou em volta e sua face escureceu de raiva.

– Maldita Mirelle! – resmungou – Eu vou...

Poirot deteve o movimento que o outro estava prestes a fazer:

– É sábio o que o senhor pretende fazer? – perguntou, de modo caloroso, seus olhos brilhando com uma débil luz verde. Mas Derek estava completamente transtornado pela ira e não percebeu os sinais de advertência.

– Eu rompi com ela em definitivo, e ela sabe disso! – gritou o inglês, furioso.

– O senhor rompeu com ela, sim, mas *ela* rompeu com o senhor?

Derek soltou uma risada áspera e sussurrou, brutal:

– Ela não vai romper com dois milhões de libras se puder evitar. Nisso, pode confiar nela.

– O senhor tem uma perspectiva bastante cínica – murmurou Poirot, de sobrancelhas erguidas.

– Tenho? Já vivo neste mundo há tempo o bastante, monsieur Poirot, para saber que todas as mulheres são iguais – disse Derek, e não havia alegria alguma em seu sorriso amplo e repentino. De súbito seu rosto se suavizou:

– Todas menos uma.

Encarou desafiador o olhar de Poirot, no qual crepitou por instantes um brilho de alerta, e logo desapareceu. Derek ergueu o queixo na direção de Cap Martin e completou:

– Aquela.

– Ah – disse Poirot, em uma entonação tranquila, calculada para provocar o temperamento impetuoso do outro, que se apressou em falar:

– Sei o que o senhor dirá: o tipo de vida que tenho levado, o fato de que não sou digno dela. Dirá que não tenho direito de sequer pensar em tal coisa. Que não é o caso de dar má reputação a um cachorro... Eu sei que não é decente falar assim, sem consideração pela morte recente da minha esposa, assassinada, ainda por cima.

Ele fez uma pausa para respirar, e Poirot aproveitou para comentar, em um tom de voz queixoso:

– Mas eu não disse nada!

– Mas dirá.

– É mesmo?

– O senhor dirá que não tenho a mais remota chance de me casar com Katherine.

– Não, eu não diria isso – emendou Poirot. – O senhor tem má reputação, sim, mas isso nunca foi o bastante para deter as mulheres... Se o senhor fosse um homem de excelente caráter, de moralidade impecável, que não fizesse nada que não devesse fazer... e possivelmente fizesse tudo o que deveria... *eh bien*! Aí eu teria sérias dúvidas a respeito de seu sucesso. Compreenda, qualidades morais não são românticas. Por mais que sejam apreciadas pelas viúvas.

Derek Kettering olhou-o por algum tempo, girou em seus calcanhares e saiu na direção do carro.

Poirot o acompanhou com interesse e viu a encantadora mulher curvar-se à janela e falar alguma coisa. Derek não parou, apenas tirou o chapéu e seguiu adiante.

– *Ça y est* – disse Poirot –; é hora, penso eu, de retornar a *chez moi*.

Encontrou George a passar calças a ferro, imperturbável.

– Um dia agradável, Georges. Um tanto cansativo, mas não desprovido de interesse – disse.

George recebeu o comentário com a aparência insípida de costume.

– De fato, senhor.

– A personalidade de um criminoso, Georges, é um assunto interessante. Muitos assassinos são homens encantadores.

– Sempre ouvi dizer, *sir*, que o dr. Crippen era um cavalheiro de muito boa conversa. E ainda assim, retalhou a esposa em pedacinhos.

– Seus exemplos são sempre perspicazes, Georges.

O criado não respondeu, e na mesma hora o telefone tocou. Poirot pegou o receptor.

– Alô... Alô... Sim, é Hercule Poirot quem fala.

– Aqui é Knighton. Pode aguardar na linha um instante, monsieur Poirot? O sr. Van Aldin deseja falar com o senhor.

Houve uma pausa, ao fim da qual a voz do milionário surgiu no aparelho.

– É o sr. Poirot? Gostaria apenas de dizer-lhe que Mason veio até mim agora, por sua própria iniciativa. Andou pensando a respeito, e diz que tem quase certeza de que o homem em Paris era Derek Kettering. Alega que havia algo de familiar nele, mas que naquela hora não conseguiu identificar o que era. Parece ter muita certeza agora.

– Ah – disse Poirot –, obrigado, sr. Van Aldin. Isso para nós é um avanço.

Recolocou o receptor no lugar e permaneceu por um tempo com um sorriso curioso no rosto. George teve de falar duas vezes antes de obter uma resposta:

– Ahn? O que está dizendo?

– O senhor vai almoçar aqui ou vai sair?

– Nenhum dos dois – disse Poirot. – Vou para a cama tomar uma *tisane*. O que era esperado aconteceu, e quando o esperado acontece, sempre me emociono.

Capítulo 25

Desafio

Quando Derek Kettering passou pelo automóvel, Mirelle se debruçou e disse:

– Dereek... Preciso falar com você um instante...

Mas, erguendo o chapéu, Derek seguiu adiante, sem parar.

Quando voltou para o hotel, o porteiro deixou sua guarita de madeira e o abordou.

– Um cavalheiro está esperando para vê-lo, monsieur.

– Quem é? – perguntou Derek.

– Não forneceu o nome, monsieur, mas disse que tinha negócios importantes a tratar e que iria esperar.

– Onde ele está?

– Na saleta, monsieur. Ele a preferiu ao saguão porque era mais privada, foi o que disse.

A saleta estava vazia, exceto pelo visitante, que, assim que Derek entrou, ergueu-se e curvou-se em uma reverência de suave dignidade. Derek havia visto o conde de la Roche uma única vez, mas não encontrou dificuldade em reconhecer a aristocrática figura. Franziu o cenho, irritado. Era uma completa impertinência!

– Conde de la Roche, eu presumo. Temo que o senhor tenha perdido seu tempo vindo aqui.

– Espero que não – disse o conde, com modos agradáveis e um sorriso no qual resplandeciam os dentes brancos.

As maneiras charmosas do conde eram inúteis contra seu próprio sexo. Todos os homens, sem exceção, tinham por ele profunda antipatia. Derek Kettering já sentia o claro desejo de enxotar o conde da sala a pontapés. Detinha-o somente a ideia de que um escândalo seria inoportuno naquele momento. Admirou-se, outra vez, que Ruth pudesse ter algum afeto – como certamente tinha – por aquele sujeito. Um salafrário, ou ainda pior que um salafrário. Olhava com repulsa para as mãos do conde, que sem dúvida haviam sido tratadas por uma manicure.

– Vim procurá-lo para tratar de negócios – disse o conde. – Creio que seria aconselhável que o senhor me ouvisse.

Derek sentiu outra vez a forte tentação de chutar o outro para fora, mas refreou-se. Não passou despercebida uma alusão de ameaça naquelas palavras, que interpretou à sua própria maneira. Havia várias razões para concluir que seria melhor ouvir o que o conde tinha a dizer.

Sentou-se e ficou a tamborilar, impaciente, os dedos sobre a mesa.

– Então – disse, por fim, em tom ríspido –, o que é?

Não era do estilo do conde ir direto ao assunto.

– Permita-me, monsieur, oferecer minhas condolências pela sua perda recente.

– Se eu ouvir mais alguma impertinência de sua parte, vai sair daqui por aquela janela – disse Derek, calmamente, acenando com a cabeça na direção da vidraça atrás do conde, que se mexeu, desconfortável, antes de retrucar, com arrogância:

– Posso enviar-lhe meus padrinhos, monsieur, se é o que deseja.

– Um duelo? Meu caro conde, não levo o senhor a sério o bastante para isso. Mas teria imenso prazer em cobri-lo de pontapés Promenade des Anglais* abaixo.

O conde não estava, em absoluto, ansioso por aceitar a ofensa. Limitou-se a erguer as sobrancelhas e a murmurar:

– Os ingleses são uns bárbaros.

---

* Literalmente: "passeio dos ingleses", calçadão em Nice que segue a margem do Mediterrâneo. (N.T.)

— Bem — disse Derek —, o que o senhor tem a me dizer?

— Serei franco e irei direto ao ponto, o que será conveniente para nós dois, não? — disse o conde, e outra vez sorriu de modo encantador.

— Prossiga — foi a resposta curta de Derek.

O conde olhou para o teto, uniu as pontas dos dedos e murmurou com suavidade:

— O senhor recebeu uma grande soma de dinheiro, monsieur.

— E o que diabos tem o senhor a ver com isso?

O conde empertigou-se:

— Monsieur, meu nome está manchado. Sou suspeito, acusado de um crime infamante.

— A acusação não vem de mim — disse Derek, com frieza. — Como parte interessada, não expressei opinião alguma.

— Sou inocente — continuou o conde, erguendo as mãos. — Juro perante os céus que sou inocente.

— Creio que o sr. Carrège é o juiz de instrução encarregado do caso — sugeriu Derek, com delicadeza, no que foi ignorado:

— Não apenas sou suspeito, injustamente, de um crime que não cometi, como também estou em sérias dificuldades financeiras — emendou o conde, pigarreando de modo sugestivo.

Derek se levantou e disse com voz suave:

— Estava esperando por isso, seu bruto chantagista! Não darei um centavo sequer. Minha esposa está morta, e nenhum escândalo que possa fazer pode alcançá-la agora. Ouso dizer que ela escreveu-lhe cartas imprudentes. Se eu as comprasse por uma soma considerável neste exato minuto, tenho plena certeza de que ainda guardaria consigo uma ou duas; e deixe-me dizer uma coisa, sr. De la Roche: chantagem é uma palavra feia tanto na Inglaterra quanto na França. É a minha resposta. Boa tarde.

– Um momento – disse o conde, estendendo a mão, quando Derek já se virara para deixar a sala. – Está enganado, monsieur. Está completamente enganado. Ainda sou, assim espero, um cavalheiro – nesse ponto, Derek riu. – Qualquer carta que uma dama possa ter me escrito seria sagrada – o conde lançou a cabeça para trás com um belo ar de nobreza. – A proposta que eu trazia a sua consideração é de natureza bem diferente. Estou, como já disse, com sérios problemas financeiros, e minha consciência me impele a ir à polícia com uma determinada informação.

Derek retornou à sala devagar.

– O que quer dizer?

O sorriso amável do conde brilhou outra vez e ele sussurrou:

– Com certeza, não é necessário entrar em detalhes. Procure a quem o crime beneficia, não é o que dizem? Como eu disse, o senhor herdou muito dinheiro há pouco tempo.

Derek riu e perguntou, com desprezo:

– É tudo?

O conde sacudiu a cabeça em negativa.

– Não é tudo, meu caro senhor. Não viria até aqui a menos que tivesse uma informação muito mais precisa e detalhada. Não é uma coisa agradável, monsieur, ser preso e julgado por assassinato.

Derek se aproximou dele com tal fúria que o conde recuou alguns passos involuntariamente.

– Está me ameaçando? – interpelou o jovem, irritado.

– O senhor não ouvirá de mim mais nada sobre o assunto – o conde assegurou.

– De todos os blefes colossais que já enfrentei...

O conde interrompeu-o erguendo a mão pálida:

– Está errado, não é um blefe. Para convencê-lo, direi que minha informação foi obtida de uma certa dama. Ela é quem detém a prova irrefutável de que o senhor cometeu o assassinato.

– Ela? Quem?

– Mademoiselle Mirelle.

Derek recuou como se houvesse recebido um golpe e sussurrou:

– Mirelle.

O conde considerou aquilo uma vantagem e foi rápido em aproveitá-la:

– A bagatela de cem mil francos. Não peço mais do que isso.

– Como? – disse Derek, com ar ausente.

– Eu dizia, monsieur, que a bagatela de cem mil francos satisfaria minha... consciência.

Derek pareceu retomar o controle sobre si. Olhou firme para o conde.

– Gostaria de ter minha resposta agora?

– Por favor, monsieur.

– Então aqui está: pode ir para o diabo. Entendeu bem?

Deixando o conde surpreso demais para falar, girou nos calcanhares e saiu da sala.

Uma vez fora do hotel, tomou um táxi e se dirigiu para onde Mirelle estava hospedada. Ao perguntar no balcão, soube que a dançarina chegara havia pouco. Derek deu ao recepcionista seu cartão:

– Leve para mademoiselle e pergunte se pode me receber.

Transcorreu um intervalo muito breve, e então foi dito a Derek que seguisse o garoto de recados. Uma onda de perfume exótico assaltou suas narinas quando ele atravessou a soleira da porta do apartamento da moça. A sala estava repleta de cravos, orquídeas e mimosas. Mirelle estava parada à janela trajando um penhoar de renda. Veio até ele com as mãos estendidas.

– Dereek... você veio. Sabia que viria.

Ele afastou os braços pegajosos e lançou-lhe um olhar duro:

– Por que mandou o conde de la Roche até mim?

Olhou-o com uma surpresa que ele tomou por genuína.

– Eu? Mandar o conde de la Roche até você? Mas para quê?

– Aparentemente para me chantagear – disse Derek, inflexível.

Ela o encarou de novo. Súbito, sorriu e balançou a cabeça

– Claro. Eu devia esperar que ele fizesse isso, *ce type là*. Devia saber. De verdade, Dereek, não o mandei até a você.

Derek lançou-lhe um olhar penetrante, como se procurasse ler sua mente.

– Contarei tudo – disse Mirelle. – Estou envergonhada, mas contarei tudo. No outro dia, você entende, estava louca de raiva, absolutamente louca – ela fez um gesto eloquente. – Meu temperamento não é dos mais pacientes. Queria me vingar de você, e fui até o conde de la Roche, e o instruí a ir à polícia e dizer isso e aquilo e aqueloutro. Mas não tema, Dereek. Não perdi completamente a cabeça; a prova está apenas comigo. A polícia não pode fazer nada sem a minha palavra, entende? E agora...

Achegou-se a ele, olhando-o com olhos ternos.

Ele a empurrou para longe com rudeza. Ela ficou parada, o peito arfando, os olhos estreitando-se em uma linha felina.

– Tome cuidado, Dereek, tome muito cuidado. Você voltou para mim, não?

– Eu nunca voltarei para você – disse Derek, com firmeza.

– É mesmo? – as pálpebras da dançarina palpitavam; mais do que nunca parecia uma gata. – Há outra mulher? Aquela com quem almoçou aquele dia. É isso? Estou certa?

– É bom que saiba que pretendo pedir aquela dama em casamento.

– Aquela inglesa afetada! Acha que vou tolerar isso por um momento que seja? Ah, não... – seu belo e flexível corpo tremia. – Ouça bem, Dereek, você se lembra da conversa que tivemos em Londres? Você disse que a única coisa que poderia salvá-lo era a morte de sua esposa. Lamentou que ela fosse tão saudável. Então veio a ideia de um acidente. Mais do que um acidente.

– Suponho – disse Derek com desdém – que foi essa a conversa que você repetiu para o conde de la Roche.

Mirelle gargalhou.

– E eu sou boba? A polícia poderia fazer alguma coisa com uma história vaga como essa? Veja... Darei uma última chance. Você deve desistir dessa inglesa e voltar para mim. E aí, *chéri*, eu nunca, nunca mencionarei...

– Mencionará o quê?

Ela riu com gentileza:

– Pensou que ninguém o havia visto...

– O que quer dizer?

– Como eu disse, pensou que ninguém o havia visto. Mas *eu vi, Dereek,* mon ami: *eu vi você saindo do compartimento de madame sua esposa naquela noite, pouco antes de o trem chegar a Lyon.* E sei mais do que isso. Sei que quando você saiu do compartimento ela estava morta.

Ele a encarou. E então, como em um sonho, virou-se muito lentamente e saiu do quarto, oscilando de leve à medida que caminhava.

Capítulo 26

Uma advertência

— Então — disse Poirot —, somos bons amigos e não temos segredos um para o outro.

Katherine virou a cabeça para olhá-lo. Havia alguma coisa em sua voz, um certo toque de seriedade, que ela não havia ouvido antes.

Estavam sentados nos jardins de Monte Carlo. Katherine fora até lá com os amigos, e, ao chegarem, quase imediatamente encontraram Knighton e Poirot. Lady Tamplin adonara-se do major e o soterrara com reminiscências, a maioria das quais Katherine tinha a vaga suspeita de serem inventadas. Afastaram-se juntos, lady Tamplin de braço dado com o jovem. Knighton voltara-se sobre o ombro algumas vezes para olhar para trás, e os olhos de Poirot divertiam-se com a cena.

— Claro que somos amigos — disse Katherine.

— Desde o início tivemos uma simpatia mútua — refletiu Poirot.

— Quando o senhor me disse que um *roman policier* ocorre na vida real.

— E estava certo, não estava? — ele a provocou, com um gesto enfático do indicador. — Aqui estamos, mergulhados em um. É natural para mim, é o meu *métier*, mas para a senhorita é diferente. Sim — acrescentou, em um tom pensativo —, para a senhorita é diferente.

Ela olhou-o atentamente. Era como se a estivesse advertindo, apontando-lhe alguma ameaça que não havia visto.

— Por que o senhor diz que estou mergulhada nisso? É verdade que tive aquela conversa com a sra. Kettering logo antes de ela morrer, mas agora... Agora acabou. Não estou mais ligada ao caso.

– Ah, mademoiselle, mademoiselle, podemos realmente dizer: "Acabei com isto ou com aquilo"?

Katherine virou-se para encará-lo com um ar desafiador e perguntou:

– O que é isso? Está tentando me dizer alguma coisa... Insinuar, melhor dizendo. Mas não sou boa em indiretas. Preferiria que o senhor dissesse o que tem a dizer diretamente.

Poirot olhou para ela com tristeza e sussurrou:

– Ah, *mais c'est anglais ça*... Tudo em preto ou branco, tudo claro e bem definido. Mas a vida não é assim, mademoiselle. Há coisas que ainda não estão aqui, mas que já projetam suas sombras.

Secou a fronte batendo de leve com um lenço de seda muito grande e murmurou:

– Ah, mas estou me tornando poético. Vamos, como a senhorita diz, falar apenas dos fatos. E, falando de fatos, diga-me o que acha do major Knighton.

– Gosto muito dele – disse Katherine calorosamente. – É muito encantador.

Poirot suspirou.

– O que foi? – perguntou Katherine.

– A senhorita respondeu com tanto entusiasmo – disse Poirot. – Se tivesse falado em um tom de voz indiferente: "Oh, muito gentil", *eh bien*, eu teria ficado mais satisfeito.

Katherine não respondeu. Sentia-se levemente desconfortável. Poirot continuou, sonhador:

– E no entanto, quem sabe? *Les femmes* têm tantas maneiras de ocultar o que sentem, e entusiasmo talvez seja uma maneira tão boa quanto qualquer outra.

Suspirou outra vez.

– Não entendo... – Katherine começou a falar, e Poirot a interrompeu:

– Não entende por que estou sendo tão impertinente, mademoiselle? Sou velho, e de vez em quando, não com muita frequência, encontro alguém cujo bem-estar me é caro. Somos amigos, mademoiselle. A senhorita mesmo assim disse. E é só isso... Gostaria de vê-la feliz.

Katherine ficou com o olhar fixo no horizonte, enquanto traçava desenhos no cascalho a seus pés com a ponta da sombrinha de cretone.

– Fiz uma pergunta sobre o major Knighton, e agora gostaria de fazer outra. Gosta do sr. Kettering?

– Mal o conheço – disse Katherine.

– Isso não é uma resposta.

– Penso que é.

Ele a olhou, perplexo com algo em seu tom de voz, e então balançou a cabeça de modo sério e vagaroso.

– Talvez mademoiselle esteja certa. Compreenda, este que vos fala já viu muita coisa neste mundo, e sei que há duas coisas que são verdadeiras: um homem bom pode ser arruinado pelo amor por uma mulher má... mas o caminho inverso também é válido. Um homem mau pode igualmente ser arruinado pelo amor por uma boa mulher.

Katherine olhou-o com atenção:

– Quando diz "arruinado"...

– Digo sob o ponto de vista dele. Alguém deve estar no crime de todo coração, assim como em tudo mais.

– Está tentando me prevenir contra quem? – disse Katherine em voz baixa.

– Não posso olhar em seu coração, mademoiselle; e não acho que me deixaria fazer isso se eu pudesse. Direi apenas isto: há homens que exercem um estranho fascínio sobre as mulheres.

– O conde de la Roche – disse Katherine com um sorriso.

– Há outros... Mais perigosos que o conde de la Roche. Têm qualidades que atraem... Atrevimento, ousadia, audácia. A senhorita está fascinada, mademoiselle; posso ver, mas creio que não seja mais do que isso. Assim espero. O homem de quem falo sente uma emoção bastante genuína, mas não importa...

– Sim?

Levantou-se e ficou parado olhando para ela. Então falou em um tom de voz baixo e distinto:

– Mademoiselle poderia, talvez, amar um ladrão, *mas não um assassino*.

Poirot se afastou bruscamente e deixou-a sentada lá. Ouviu-a soltar um suspiro, mas não prestou atenção. Havia dito o que pretendia e agora a deixava sozinha para digerir a última e inequívoca frase.

Derek Kettering, vindo do cassino, viu-a sentada sozinha no banco e juntou-se a ela.

– Estive jogando – disse, com uma risada breve –, jogando sem sucesso. Perdi tudo... Quero dizer, tudo o que tinha comigo.

Katherine olhou para ele com um semblante perturbado. Estava pela primeira vez ciente de alguma coisa nova nos modos dele, uma excitação oculta que se traía em uma centena de minúsculos sinais diferentes.

– Eu diria que o senhor sempre foi um jogador. O espírito do jogo o atrai.

– Um jogador em tudo e sempre? Está certa. A *senhorita* não encontra algo estimulante no jogo? Arriscar tudo em um lance... não há nada igual.

Mesmo calma e impassível como pensava ser, Katherine sentiu uma débil palpitação.

– Quero falar com a senhorita – prosseguiu Derek –, e quem sabe quando terei outra oportunidade? Há uma ideia por aí de que assassinei minha esposa... Não, por favor, não me interrompa. Um absurdo, é claro.

Fez uma pausa e depois prosseguiu, mais ponderado.

– Ao lidar com a polícia e com as autoridades locais tive de fingir... uma certa decência. Prefiro não fingir para a senhorita. Casei-me por dinheiro. Estava à procura de dinheiro quando encontrei Ruth van Aldin pela primeira vez, e, bem, tomei todo tipo de resoluções ponderadas... e foi uma amarga desilusão. Minha esposa estava apaixonada por outro homem quando se casou e nunca se importou comigo. Oh, não estou reclamando; a coisa toda foi um negócio perfeitamente respeitável. Ela queria Leconbury e eu queria dinheiro. O problema se agravou por causa do sangue americano de Ruth. Mesmo sem ligar a mínima para mim, ela queria que eu estivesse sempre a seu dispor. Mais de uma vez, esteve prestes a me dizer que me comprara e que eu pertencia a ela. O resultado foi meu comportamento abominável. Meu genro vai dizer isso, e vai estar certo. Quando Ruth morreu, eu estava contemplando o desastre absoluto – ele riu de repente. – Alguém sempre contempla o desastre absoluto quando enfrenta um homem como Rufus van Aldin.

– E então? – perguntou Katherine em voz baixa.

– E então – Derek encolheu os ombros –, Ruth foi assassinada... muito providencialmente.

Ele riu, e o som de sua risada magoou Katherine, que estremeceu.

– Sim – disse Derek –, isso não foi de muito bom gosto. Mas é a pura verdade. Agora vou dizer uma coisa mais. Desde o primeiro momento em que a vi, soube que era a única mulher neste mundo para mim. Estava... assustado. Pensei que poderia me trazer má sorte.

– Má sorte? – disse Katherine, ríspida.

Ele a encarou.

– Por que repetiu o que eu disse dessa forma? O que tem em mente?

– Estava pensando em coisas que me disseram.

Derek sorriu irônico:

– Vão dizer um monte de coisas sobre mim, minha querida, e a maioria delas será verdade. Sim, e coisas ainda piores, coisas que eu nunca lhe contarei. Sempre fui um jogador... E corri grandes riscos. Não farei uma confissão, nem agora nem em qualquer outro momento. O passado já se foi. Só há uma coisa que realmente gostaria que acreditasse. Juro, solenemente, que não matei minha esposa.

Ele falou com sinceridade, embora com um leve toque teatral. Fitou o olhar pasmado dela e prosseguiu:

– Eu sei. Eu menti no outro dia. *Foi* no compartimento de minha esposa que entrei.

– Ah – disse Katherine.

– É difícil explicar o porquê de eu ter entrado, mas tentarei. Fiz aquilo em um impulso. Veja, estava, mais ou menos, espionando minha esposa. Mantive-me fora de vista no trem. Mirelle havia me dito que minha mulher estava indo encontrar o conde de la Roche em Paris. Bem, até onde eu pude ver, não foi assim. Senti-me envergonhado e pensei, de repente, que seria bom esclarecer as coisas com ela de uma vez por todas, então abri a porta e entrei.

Fez uma pausa.

– E então? – disse Katherine, com gentileza.

– Ruth estava deitada no leito, adormecida... Seu rosto estava virado para o outro lado, eu podia ver apenas a parte de trás de sua cabeça. Poderia tê-la acordado, é claro. Mas relutei. O que, no fim das contas, havia a ser dito que não tenhamos dito, ambos, uma centena de vezes antes? Parecia tão pacífica, deitada lá. Deixei a cabine tão silenciosamente quanto pude.

– E por que mentir sobre isso para a polícia? – perguntou Katherine.

– Porque não sou um completo idiota. Percebi desde o começo que, do ponto de vista do motivo, sou o assassino ideal. Se eu tivesse admitido uma única vez que havia entrado no compartimento logo antes de ela ser assassinada, seria o fim para mim, de vez.

– Entendo.

Entendera? Não sabia dizer. Sentia a atração magnética da personalidade de Derek, mas havia algo nela que resistia, que se detinha.

– Katherine...

– Eu...

– Sabe que gosto de você. Você... gosta de mim?

– Eu... Eu não sei.

Fraqueza. Ou sabia ou não sabia. Se apenas...

Ela lançou um olhar desesperado em volta, como se procurasse alguém que pudesse ajudá-la. Uma suave cor aflorou a suas faces ao ver um homem alto e claro coxeando apressado pelo caminho em direção a eles.

– Major Knighton.

Havia alívio e um inesperado afeto na voz com que ela o saudou.

Derek tornou-se rígido e carrancudo, sua face escura como uma nuvem de tempestade.

– Lady Tamplin está dando um passeio? – disse, com suavidade. – Devo juntar-me a ela e oferecer-lhe a graça de minha presença.

Girou nos calcanhares e deixou os dois sozinhos. Katherine sentou-se outra vez. Seu coração batia rápido e irregular, mas à medida que se sentou, conversando trivialidades com aquele homem silencioso e mesmo tímido ao lado dela, seu autocontrole retornou.

Ela então percebeu, com surpresa, que Knighton também estava desnudando seu coração, um pouco como Derek havia feito, mas de maneira muito diferente. Ele estava tímido e gaguejante. As palavras vinham hesitantes, sem nenhuma eloquência para ampará-las.

– Desde o primeiro momento em que a vi... Eu... Eu... não devia falar tão cedo... Mas o sr. Van Aldin pode partir a qualquer dia, e posso não ter outra chance. Sei que a senhorita não pode gostar de mim tão rápido... Isso é impossível. Ouso dizer que é uma total presunção de minha parte. Tenho alguns recursos, não muitos... Não, por favor, não responda agora. Sei qual seria sua resposta. Mas no caso de eu partir subitamente, apenas queria que a senhorita soubesse... que gosto de você.

Estava trêmula... Comovida. Suas maneiras eram tão gentis e atraentes.

– Há mais uma coisa. Só queria dizer que se... se estiver em dificuldades, qualquer coisa que eu possa fazer...

Tomou a mão dela, segurou-a forte por um minuto, e então largou-a e se afastou rápido na direção do cassino, sem olhar pra trás.

Katherine empertigou-se, seguindo-o com o olhar. Derek Kettering... Richard Knighton... Dois homens tão diferentes... Tão diferentes. Havia algo gentil em Knighton, gentil e confiável. E quanto a Derek...

Então, de súbito, Katherine teve uma sensação muito curiosa. Sentiu que não estava mais sentada nos jardins do cassino, mas que alguém estava parado em pé ao lado dela, e que esse alguém era a morta, Ruth Kettering. Teve a vaga impressão de que Ruth queria, com urgência, dizer-lhe alguma coisa, uma impressão tão curiosa, tão vívida, que não pôde ser afastada. Teve certeza absoluta de que o espírito de Ruth Kettering estava tentando transmitir-lhe algo de vital importância. A sensação desapareceu. Katherine se levantou, tremendo. O que Ruth Kettering tanto queria lhe dizer?

Capítulo 27

Entrevista com Mirelle

Quando Knighton deixou Katherine, foi em busca de Hercule Poirot, a quem encontrou na roleta, fazendo alegremente a aposta mínima nos números pares. Quando Knighton se juntou a ele, saiu o número 33, e a aposta de Poirot foi retirada.

– Má sorte! – disse Knighton. – O senhor vai apostar outra vez?

Poirot negou com a cabeça.

– Não no momento.

– Sente fascínio pelo jogo? – perguntou Knighton, curioso.

– Não pela roleta.

Knighton lançou-lhe um olhar vivo e sua face tornou-se inquieta. Falou hesitante, com um toque de deferência.

– Está ocupado, monsieur Poirot? Há algo que eu gostaria de lhe perguntar.

– Estou ao seu dispor. Quer ir lá para fora? O sol está agradável.

Caminharam juntos. Knighton respirou profundamente e disse:

– Adoro a Riviera. Estive aqui pela primeira vez há doze anos, durante a Guerra, quando fui mandado para o hospital de lady Tamplin. Vir de Flandres* para cá foi como chegar ao paraíso.

– Deve ter sido mesmo – disse Poirot.

---

* Flandres, região da Bélgica, foi o local de três das mais cruentas batalhas da frente ocidental da Primeira Guerra Mundial. As perdas nos três confrontos de Ypres (1914, 1915 e 1917) resultaram em centenas de milhares de vítimas. (N.T.)

– O quanto a guerra parece distante agora – admirou-se Knighton.

Caminharam um pouco mais, em silêncio, e Poirot perguntou.

– Algo o incomoda?

Knighton olhou-o com surpresa e confessou:

– O senhor está certo, embora não saiba como adivinhou.

– É claramente visível – disse Poirot, com ironia.

– Não sabia que eu era tão transparente.

– É meu trabalho observar o semblante – explicou o homenzinho, com dignidade.

– Conto-lhe tudo, sr. Poirot. Já ouviu falar dessa tal dançarina... Mirelle?

– A que é *chère amie* do sr. Derek Kettering?

– Sim, essa mesma, e, sabendo disso, vai entender que o sr. Van Aldin tem uma natural antipatia contra ela. Ela escreveu para ele, pedindo um encontro. Ele me disse para redigir uma curta recusa, o que, é claro, eu fiz. Esta manhã, ela veio até o hotel e enviou seu cartão, dizendo que era urgente e vital que pudesse ver o sr. Van Aldin ao menos uma vez.

– Tem o meu interesse – disse Poirot.

– O sr. Van Aldin estava furioso. Informou-me a mensagem a ser enviada como resposta, mas ousei discordar dele. A mim me parecia tanto possível quanto provável que essa Mirelle pudesse nos dar informações valiosas. Sabemos que estava no Trem Azul e pode ter visto ou ouvido algo vital para nós. Não concorda comigo, monsieur Poirot?

– Concordo – disse Poirot. – O sr. Van Aldin, se me permite dizer, comportou-se de modo bem pouco sensato.

– Estou contente que encare desse modo – disse o secretário. – Agora devo dizer-lhe uma coisa, sr. Poirot. Tão forte foi minha impressão de que o sr. Van Aldin estava sendo insensato que desci, em segredo, e fui conversar com a dama.

— *Eh bien*?

— A dificuldade foi que ela insistia em ver o próprio sr. Van Aldin. Fiz o meu possível para amenizar as palavras dele. De fato, para ser sincero, dei a ela uma forma muito diferente. Disse que o sr. Van Aldin estava ocupado demais para vê-la naquele momento, mas que poderia enviar por mim qualquer comunicação que desejasse. O que, entretanto, ela não se dispôs a fazer, pois saiu sem dizer mais nada. Mas tenho uma forte impressão, monsieur Poirot, de que aquela mulher sabe de alguma coisa.

— Isso é sério... — disse Poirot, tranquilo. — Sabe onde ela está hospedada?

— Sim — disse Knighton, e mencionou o nome do hotel.

— Bom, vamos até lá imediatamente — declarou Poirot.

O secretário olhou-o e perguntou, desconfiado:

— E o senhor Van Aldin?

— O sr. Van Aldin é um homem obstinado — respondeu Poirot, irônico. — E eu não discuto com homens obstinados, ajo a despeito deles. Vamos ver a dama agora. Direi a ela que está autorizado pelo sr. Van Aldin a representá-lo, e cuide-se bem para não me contradizer.

Knighton ainda olhava com desconfiança, mas Poirot não tomou conhecimento de sua indignação.

No hotel, foram informados de que mademoiselle estava, e Poirot enviou seu cartão e o de Knighton, com um "da parte do sr. Van Aldin" escrito a lápis em cima. Logo veio a confirmação de que mademoiselle Mirelle os receberia.

Quando foram introduzidos no apartamento da dançarina, Poirot imediatamente tomou a dianteira e sussurrou, com uma mesura na qual se curvou bastante:

– Mademoiselle, estamos aqui no interesse do sr. Van Aldin.

– Ah, e por que ele não veio em pessoa?

– Está indisposto – mentiu Poirot –, o ar da Riviera provocou-lhe uma inflamação na garganta. Mas ele me encarregou de representá-lo, assim como o major Knighton, seu secretário. A menos, é claro, que mademoiselle prefira esperar uma quinzena ou mais.

Se havia alguma coisa da qual Poirot estava certo era de que, para temperamentos como o de Mirelle, a mera menção à palavra "esperar" era anátema.

– *Eh, bien*, eu falarei, *messieurs* – ela exclamou. – Fui paciente. Contive-me. E para quê? Para ser insultada! Sim, insultada! Ah! Ele acha que pode tratar Mirelle assim? Jogá-la fora como uma luva velha? Nunca um homem cansou-se de mim. Sempre fui eu que me cansei deles.

Andava no quarto para cima e para baixo, seu corpo esbelto tremendo de raiva. Quando uma mesinha impediu sua passagem, arremessou-a a um canto, estilhaçando-a.

– Isto é o que eu farei com ele! – gritou. – E isto!

Apanhando uma jarra cheia de lírios, lançou-a na lareira, estraçalhando-a.

Knighton a olhava com fria desaprovação britânica, sentindo-se constrangido e embaraçado. Poirot, por sua vez, apreciava por completo a cena, com os olhos cintilantes.

– Ah, magnífico! – exclamou. – Pode-se ver que madame é uma mulher de gênio forte.

– Sou uma artista, e todo artista tem o gênio forte. Avisei a Dereek para ter cuidado, e ele não me ouviu – disse Mirelle. Então se voltou subitamente para Poirot: – É verdade, não é, que ele quer se casar com aquela moça inglesa?

Poirot pigarreou.

– *On m'a dit* – murmurou – que a adora com paixão.

Mirelle veio na direção deles e gritou:

— Ele matou a esposa – ela berrou. – Aí está... Agora já sabe. Disse-me em primeira mão que pretendia fazê-lo. Havia chegado a um impasse... e zás! Escolheu a saída mais fácil.

— Está dizendo que o sr. Kettering assassinou sua esposa.

— Sim, sim, sim. Não foi o que eu disse?

— A polícia – resmungou Poirot – vai precisar de prova dessa... ahn... alegação.

— Digo-lhe que o vi sair do compartimento dela aquela noite no trem.

— Quando? – perguntou Poirot, incisivo.

— Logo antes de o trem alcançar Lyon.

— Vai testemunhar sob juramento, mademoiselle? – era um Poirot diferente que falava agora, atento e decidido.

— Sim.

Houve um momento de silêncio. Mirelle estava ofegante, e seus olhos, meio desafiadores e meio assustados, foram de um homem ao outro.

— É uma questão muito séria, mademoiselle – disse o detetive. – Percebe o quanto?

— Certamente que sim.

— Está bem – disse Poirot. – Então entende, mademoiselle, que não há tempo a perder. Pode, porventura, nos acompanhar agora mesmo ao gabinete do juiz de instrução?

Mirelle foi pega de surpresa. Hesitou, mas, como Poirot havia previsto, não tinha nenhuma desculpa para escapar.

— Muito bem – resmungou –, vou buscar um casaco.

Deixados sozinhos, Poirot e Knighton trocaram olhares.

— É necessário... como é mesmo que vocês dizem?... malhar enquanto o ferro está quente – sussurrou Poirot. – Ela é temperamental; no intervalo de uma hora talvez se arrependa e queira voltar atrás. Temos que impedir isso a qualquer custo.

Mirelle reapareceu, envolta em uma capa de veludo cor de areia, com detalhes de pele de leopardo. Não parecia, no geral, muito diferente de um leopardo – amarela e perigosa. Seus olhos ainda brilhavam com fúria e determinação.

Encontraram o sr. Caux junto ao juiz de instrução. Após umas poucas e breves palavras introdutórias de Poirot, Mirelle foi solicitada com cortesia a contar sua história, o que fez com as mesmas palavras usadas com Knighton e Poirot – mas com maneiras muito mais sóbrias.

– É uma história extraordinária, mademoiselle – disse o sr. Carrège, devagar. Recostou-se em sua cadeira, ajustou seu *pince-nez* e olhou através dele para a dançarina, de modo atento e perspicaz.

– Quer que acreditemos que o sr. Kettering realmente vangloriou-se do crime para a senhorita em primeira mão?

– Sim, sim. Ela estava muito saudável, foi o que ele disse. Se morresse, seria de um acidente... Ele providenciaria um de qualquer jeito.

– Está ciente, mademoiselle – disse o sr. Carrège duramente –, de que é cúmplice do crime?

– Eu? Mas por nada neste mundo, monsieur. Nem por um momento tomei a declaração dele a sério. Ah, não de fato. Conheço os homens; dizem muitas coisas violentas. Mas o mundo seria uma loucura se tudo o que alguém dissesse fosse tomado *au pied de la lettre*.

O juiz de instrução ergueu as sobrancelhas.

– Consideremos, então, que julgou as ameaças do sr. Kettering conversa inútil. Posso perguntar, mademoiselle, o que a fez largar seus compromissos em Londres e vir para a Riviera?

Mirelle olhou para ele com ternos olhos negros e disse, com simplicidade:

– Eu queria estar com o homem que amava. O que há de tão estranho?

Poirot inseriu gentilmente uma pergunta:

– Foi, então, a pedido do sr. Kettering que o acompanhou até Nice?

Mirelle pareceu encontrar alguma dificuldade para responder e hesitou de maneira perceptível antes de falar. Quando falou, foi com altiva indiferença:

– Em tais assuntos, eu faço o que tenho vontade, monsieur.

Os três homens notaram que aquilo não era de modo algum uma resposta, mas nada disseram.

– Quando se convenceu pela primeira vez de que o sr. Kettering havia assassinado a esposa?

– Como disse, monsieur, vi o sr. Kettering sair do compartimento de sua esposa pouco antes de o trem chegar a Lyon. Havia uma expressão em seu rosto... Ah, naquele momento eu não entendi... Um olhar terrível e assombrado que nunca esquecerei.

Sua voz se tornou estridente, e ela estendeu os braços em um gesto extravagante.

– Entendo – disse o sr. Carrège.

– Mais tarde, quando descobri que madame Kettering estava morta quando o trem partiu de Lyon, então... então eu soube!

– E ainda assim, mademoiselle não foi à polícia. – disse o comissário, com indulgência.

Mirelle lançou-lhe um olhar de soberba; estava claramente se divertindo no papel que interpretava.

– Eu deveria trair meu amante? – perguntou. – Ah, não, não peça a uma mulher para fazer isso.

– E no entanto, agora... – sugeriu o sr. Caux.

– Agora é diferente. Ele me traiu! Devo suportar em silêncio?

– Entendo... Entendo – ele murmurou, suave. – E agora, mademoiselle, poderia ler a declaração que nos prestou, confirmar se está correta e assiná-la?

Mirelle não perdeu muito tempo com o documento e disse:

— Sim, sim, está correto — levantou-se. — Ainda precisam de mim, *messieurs*?

— No momento não, mademoiselle.

— E Dereek será preso?

— Imediatamente.

Mirelle riu de modo cruel, enrolou-se mais na capa de pele e exclamou:

— Ele devia ter pensado nisso antes de me insultar.

— Há mais um tópico — Poirot pigarreou em tom de desculpas —, apenas uma questão de detalhe.

— Sim?

— O que a faz pensar que madame Kettering estava morta quando o trem deixou Lyon?

Mirelle o fitou com os olhos arregalados.

— Mas ela *estava* morta.

— Estava?

— Sim, claro, eu...

Parou de modo abrupto. Poirot a observava intensamente, e notou a expressão de alerta que aflorou aos olhos dela.

— Eu ouvi dizer. Todos dizem isso.

— Oh — disse Poirot. — Não estava a par de que o fato houvesse sido mencionado fora do gabinete do juiz de instrução.

Mirelle pareceu algo descomposta.

— Ouvem-se coisas — disse, devagar. — Elas se espalham. Alguém me disse. Não consigo lembrar quem foi.

Ela se moveu até a porta. O sr. Caux adiantou-se para abri-la e, enquanto o fazia, a voz de Poirot se fez ouvir outra vez, com gentileza.

— E as joias? *Pardon*, mademoiselle. Pode me dizer alguma coisa sobre elas?

— Joias? Que joias?

— Os rubis de Catarina, a Grande. Uma vez que ouve tantas coisas, deve ter ouvido falar deles.

— Não sei nada de joia nenhuma — disse Mirelle, ríspida.

Saiu, fechando a porta atrás de si, e o sr. Caux voltou para sua cadeira. O juiz de instrução suspirou e disse:

— Que fúria! Mas *diablement chic*. Pergunto-me se ela está dizendo a verdade. Creio que sim.

— Há *alguma* verdade na história dela, com certeza — comentou Poirot. — Temos confirmação disso pela senhorita Grey. Ela estava observando o corredor um pouco antes de o trem chegar a Lyon e viu o sr. Kettering entrar no compartimento de sua esposa.

— O caso contra ele parece claríssimo — disse o comissário, com um suspiro —, o que é uma grande lástima.

— O que quer dizer? — perguntou Poirot.

— A ambição de minha vida é prender o conde de la Roche. Desta vez, *ma foi*, pensei que o havíamos apanhado. Esse outro... Não é nem de perto tão satisfatório.

O sr. Carrège coçou o nariz e observou, de modo cauteloso:

— Se algo der errado, será muito embaraçoso. O sr. Kettering é da aristocracia. Vai chegar aos jornais. Se tivermos cometido um erro... — encolheu os ombros, desconfortável.

— E as joias? — indagou o comissário. — O que acha que fez com elas?

— Levou-as como um embuste, é claro — disse o sr. Carrège. — Devem ser um grande inconveniente, e será complicado para ele livrar-se delas.

Poirot sorriu.

— Tive minha própria ideia sobre as joias. Digam-me, *messieurs*, o que sabem sobre um homem chamado Marquês?

O comissário inclinou-se para frente, excitado, e disse:

— O Marquês? Acha que ele está metido neste caso, monsieur Poirot?

– Perguntei o que os senhores sabem dele.

O comissário fez uma careta expressiva e comentou, pesaroso:

– Não tanto quanto deveríamos. Trabalha nos bastidores, o senhor compreende. Tem subalternos que fazem para ele o trabalho sujo. Mas é alguém de importância, temos certeza. Não vem da classe criminosa.

– Francês?

– S-sim. Ao menos é o que acreditamos. Mas não temos certeza. Trabalhou na França, na Inglaterra, na América. Houve uma série de assaltos na Suíça, no último outono, que foram atribuídos a ele. O consenso é de que ele é um *grand seigneur*, e fala francês e inglês com igual perfeição. Sua origem é um mistério.

Poirot anuiu e levantou-se para partir.

– Não pode nos dizer mais nada, monsieur Poirot? – insistiu o comissário.

– No momento não – respondeu Poirot –, mas devo ter notícias à minha espera no hotel.

O sr. Carrège pareceu desconfortável.

– Se o Marquês está envolvido neste caso... – começou, e então se interrompeu.

– Isso desconcerta nossas ideias – completou o sr. Caux.

– Mas não as minhas – disse Poirot. – Ao contrário, penso que se ajusta a elas muito bem. *Au revoir, messieurs*; se me chegarem notícias de alguma importância, comunicarei aos senhores de imediato.

Caminhou de volta para o hotel com uma expressão grave. Em sua ausência, havia chegado um telegrama. Tirando uma espátula do bolso, ele o abriu. Era uma mensagem longa, e leu-a mais de duas vezes antes de a colocar vagarosamente no bolso. Lá em cima, George estava esperando por seu patrão.

– Estou esgotado, Georges, esgotadíssimo. Pode solicitar que me tragam um bule pequeno de chocolate?

O chocolate foi pedido e trazido no devido tempo, e George o colocou em uma mesinha próxima do patrão. Quando estava se preparando para sair, Poirot falou:

– Acredito, Georges, que você tenha um bom conhecimento sobre a aristocracia inglesa.

George deu um sorriso apologético e respondeu:

– Acho que posso dizer que tenho, senhor.

– E suponho, Georges, que, em sua opinião, os criminosos são invariavelmente descendentes das classes mais baixas.

– Nem sempre, senhor. Houve um grande problema com um dos filhos mais novos do duque de Devizes. Deixou Eton com má fama, e depois disso causou grande inquietação em diversas ocasiões. A polícia não aceitou a versão de cleptomania. Um rapaz muito inteligente, mas um completo depravado, se o senhor me entende. Sua Alteza embarcou-o para a Austrália, e ouvi dizer que estava encarcerado lá sob outro nome. Muito estranho, senhor, mas é essa a história. O jovem cavalheiro, nem preciso dizer, não tinha necessidades financeiras.

Poirot sacudiu a cabeça vagarosamente e murmurou:

– Amor pela emoção. E um parafuso a menos. Eu me pergunto agora... – retirou o telegrama do bolso e o leu outra vez.

– E houve a filha de lady Mary Fox – continuou o criado, levado pelas reminiscências. – Fraudou comerciantes de maneira algo chocante. Um tormento para as melhores famílias, se me permite comentar. E há muitos outros casos estranhos que eu poderia mencionar.

– Você tem uma larga experiência, Georges – murmurou Poirot –; com frequência me admiro de que, tendo convivido tão exclusivamente com famílias tão nobres, tenha se rebaixado a ser meu criado. Atribuo isso ao amor pela emoção de sua parte.

– Não de todo, senhor – disse George. – Por acaso li nas notícias da sociedade que havia sido recebido no

Palácio de Buckingham, justamente quando eu estava procurando por uma nova colocação. Sua Majestade, assim dizia o texto, havia sido muito cortês e amistoso com sua pessoa, e tinha em alta conta suas capacidades.

– Ah – disse Poirot –, sempre é bom saber a razão das coisas.

Permaneceu pensativo por alguns momentos, ao fim dos quais perguntou:

– Telefonou para mademoiselle Papopolous?

– Sim; ela e o pai terão prazer em jantar com o senhor esta noite.

– Ah – comentou, Poirot. Bebeu seu chocolate, colocou com habilidade a xícara e o pires no centro da bandeja e falou gentilmente, mais para si mesmo do que para o criado: – O esquilo, meu bom Georges, recolhe nozes. Ele as armazena durante o outono, e assim pode aproveitá-las mais tarde. Para fazer da humanidade um sucesso, Georges, devemos tirar proveito das lições daqueles que estão abaixo de nós no reino animal. É o que tenho feito sempre. Fui um gato, observando a toca do rato. Fui um cachorro, seguindo meu olfato sem tirar o nariz da trilha. E também, meu bom Georges, fui esquilo, armazenando um pequeno fato aqui, outro pequeno fato acolá. Irei agora para minha toca retirar uma noz em particular, uma que armazenei... deixe-me ver, dezessete anos atrás. Consegue me entender, Georges?

– Eu nunca pensei, senhor – respondeu George –, que nozes durassem tanto, embora saiba que se podem fazer maravilhas se engarrafadas em conserva.

Poirot olhou para ele e sorriu.

Capítulo 28

Poirot banca o esquilo

Poirot saiu para o jantar com antecedência de 45 minutos. Tinha um objetivo nisso. O carro levou-o não diretamente para Monte Carlo, mas para a casa de lady Tamplin em Cap Martin, onde ele perguntou pela senhorita Grey. As senhoras estavam se vestindo, e Poirot foi levado a uma sala de espera. Ali Lenox Tamplin encontrou-o, depois de um lapso de três ou quatro minutos.

– Katherine ainda não está pronta – disse. – Posso levar-lhe uma mensagem, ou o senhor prefere esperar até que ela desça?

Poirot olhou-a pensativo. Levou algum tempo para responder, como se houvesse um peso enorme sobre sua decisão. Aparentemente a resposta para uma pergunta tão simples era de grande importância.

– Não – ele disse, por fim. – Não, não creio que seja necessário aguardar por mademoiselle Katherine. Penso que talvez seja melhor não esperar. Essas coisas são difíceis, às vezes.

Lenox esperou polidamente, suas sobrancelhas erguidas de leve.

– Tenho algumas novidades – continuou Poirot. – A senhorita poderia, por favor, dizer à sua amiga que o sr. Kettering foi preso esta noite pelo assassinato de sua esposa?

– Quer que eu diga isso a Katherine? – perguntou Lenox. Ela respirava com dificuldade, como se houvesse corrido; sua face, Poirot percebeu, tornara-se pálida e tensa... o que era fácil de se notar.

– Se puder me fazer esse favor, mademoiselle.

– Por quê? Acha que Katherine se preocupa? Acha que ela se importa?

– Não sei, mademoiselle – disse Poirot. – Veja, estou admitindo com franqueza. Como regra geral, sei tudo, mas neste caso... Bem, não sei. A senhorita talvez saiba melhor do que eu.

– Sim – disse Lenox –, eu sei... Mas não vou revelar de jeito nenhum.

Fez uma breve pausa, as sobrancelhas negras unidas no cenho franzido, e então disse, abruptamente:

– Acredita que ele fez aquilo?

Poirot encolheu os ombros.

– É o que diz a polícia.

– Ah – disse Lenox –, está se protegendo, não está? Então há algo de que se proteger.

De novo ficou em silêncio, carrancuda. Poirot disse, gentil:

– Conhece Derek Kettering há muito tempo, não?

– Desde criança – disse Lenox, áspera.

Poirot balançou algumas vezes a cabeça, sem dizer nada.

Com um de seus movimentos bruscos Lenox arrastou uma cadeira e sentou-se, os cotovelos sobre a mesa e o rosto amparado nas mãos. Olhava direto para Poirot por sobre a mesa.

– O que eles têm para prosseguir com isso? – indagou. – O motivo, eu suponho. É provável que ele tenha recebido algum dinheiro com a morte dela.

– Dois milhões.

– E se ela não tivesse morrido, ele estaria arruinado?

– Sim.

– Mas deve haver mais do que isso – insistiu Lenox. – Ele viajava no mesmo trem, eu sei, mas... Isso não seria suficiente para prendê-lo.

– Uma cigarreira com a letra "K" que não pertencia à sra. Kettering foi encontrada na cabine, e ele foi visto por duas pessoas entrando e saindo do compartimento logo antes de o trem chegar a Lyon.

– Quais pessoas?

– Sua amiga senhorita Grey foi uma delas. A outra foi mademoiselle Mirelle, a dançarina.

– E ele, Derek, o que tem a dizer a respeito disso? – perguntou Lenox.

– Ele nega em absoluto ter entrado na cabine da esposa – respondeu Poirot.

– Tolo! – disse Lenox, incisiva. – Logo antes de Lyon, o senhor diz? Ninguém sabe quando ela morreu?

– As evidências médicas não são conclusivas – disse Poirot. – Os legistas estão inclinados a considerar que a morte possivelmente não ocorreu antes de o trem deixar Lyon. E sabemos, também, que poucos momentos após a partida a sra. Kettering estava morta.

– E como sabem disso?

Poirot sorria de modo estranho, mais para si próprio.

– Alguém entrou no compartimento e a encontrou morta.

– E não deram o alerta?

– Não.

– Por quê?

– Sem dúvida tiveram suas razões.

Lenox o olhou com atenção:

– E o senhor sabe a razão?

– Acredito que sim.

Lenox empertigou-se revirando os pensamentos em sua mente, enquanto Poirot assistia a tudo em silêncio. Finalmente, ela levantou a cabeça. Uma cor suave havia aflorado às suas bochechas, e seus olhos brilhavam.

– O senhor pensa que alguém no trem deve tê-la matado, mas não precisa, em absoluto, ser assim. O que impediria qualquer pessoa de se esgueirar para o trem na parada em Lyon? Poderia ir direto ao compartimento dela, estrangulá-la, tomar posse dos rubis e apear do carro sem que ninguém tomasse conhecimento. Deve ter sido morta, na verdade, enquanto o trem estava na estação de Lyon. Assim, estaria viva quando Derek entrou no compartimento e morta quando a outra pessoa a encontrou.

Poirot reclinou-se para trás na cadeira, respirou fundo, olhou para a garota e sacudiu a cabeça três vezes. Depois, exalou um suspiro e disse:

– Mademoiselle, o que disse é muito justo e verdadeiro. Eu estava tateando no escuro, e a senhorita me mostrou a luz. Havia um ponto que me confundia, e a senhorita o esclareceu.

Ele se levantou.

– E Derek? – disse Lenox.

– Quem sabe? – disse Poirot, com um encolher de ombros. – Mas deixe-me dizer-lhe uma coisa, mademoiselle. Não estou satisfeito; não, eu, Hercule Poirot, ainda não estou satisfeito. Pode ser que esta noite mesmo descubra mais alguma coisa. Ao menos, é o que tentarei.

– Vai encontrar alguém?

– Sim?

– Alguém que sabe de algo?

– Alguém que pode saber. Nesses assuntos não se deve deixar pedra sem revirar. *Au revoir, mademoiselle.*

Lenox o acompanhou até a porta.

– Eu... o ajudei? – ela perguntou.

A face de Poirot se suavizou ao olhar para ela, em pé na soleira acima dele.

– Sim, mademoiselle ajudou. Se as coisas estiverem muito sombrias, lembre-se sempre disso.

Quando o carro arrancou, caiu absorto em pensamentos, o cenho franzido, mas em seus olhos brilhava aquela tênue luz verde, sempre precursora do triunfo que viria.

Estava alguns minutos atrasado para o encontro, e descobriu que o sr. Papopolous e a filha haviam chegado antes dele. Desculpou-se de modo desprezível e excedeu-se em delicadezas e pequenas atenções. O grego parecia excepcionalmente bondoso e nobre aquela noite, um triste patriarca de vida irrepreensível. Zia, linda, estava bem-humorada. O jantar foi agradável. Poirot, em seu melhor e mais esfuziante estado de espírito, contou anedotas, fez piadas, prestou graciosos elogios a Zia Papopolous e narrou muitos incidentes interessantes de sua carreira. O menu fora cuidadosamente selecionado, e o vinho estava excelente.

Ao fim do jantar o sr. Papopolous indagou, com delicadeza:

– E quanto à dica que lhe dei? Fez sua aposta no cavalo?

– Estou em contato com meu... hmm... *bookmaker* – respondeu Poirot.

Os olhos dos dois homens se encontraram.

– Um cavalo bem conhecido, não?

– Não – disse Poirot –, é o que nossos amigos ingleses chamam de um cavalo pardo.

– Ah! – exclamou o sr. Papopolous, pensativo.

– Agora temos de dar um pulo no cassino e fazer nossa apostazinha na roleta – propôs Poirot alegremente.

No cassino o grupo se separou, Poirot dedicando-se somente a Zia enquanto Papopolous se afastava.

Poirot não teve sorte, mas Zia passou por uma maré boa e logo havia ganhado algumas centenas de francos.

– Seria bom – ela observou com alguma ironia para Poirot – eu parar agora.

Os olhos de Poirot cintilaram:

– Esplêndido! – exclamou. – É filha de seu pai, mademoiselle Zia. Saber quando parar. Ah, essa é a arte.

Olhou em volta da sala e comentou, indiferente:

– Não consigo ver seu pai em lugar nenhum. Vou buscar sua capa, mademoiselle, e sairemos para os jardins.

Ele não foi, contudo, direto para a chapelaria. Seus olhos argutos haviam visto não muito antes a partida do sr. Papopolous, e estava ansioso para saber o que fora feito do astuto grego. Encontrou-o inesperadamente no grande salão de entrada. Estava encostado a uma das colunas, conversando com uma dama que havia recém chegado. A dama era Mirelle.

Furtivo, Poirot deu a volta na sala, aproximou-se pelo outro lado do pilar, sem ser notado pelos dois, que conversavam animados – ou melhor, a dançarina falava e Papopolous contribuía com monossílabos ocasionais e uns tantos gestos expressivos.

– Eu disse que precisava de tempo – falou a dançarina. – Se me der tempo, conseguirei o dinheiro.

– Esperar é desagradável – disse Papopolous, com um encolher de ombros.

– Apenas por pouco tempo – suplicou a outra. – É preciso! Uma semana... Dez dias... É tudo o que peço. Pode estar certo do negócio. O dinheiro está próximo.

Papopolous se movimentou e olhou ao redor, desconfortável – para encontrar Poirot quase encostado ao seu cotovelo, com um rosto risonho e inocente.

– Ah! *Vous voilà*, monsieur Papopolous. Estava procurando pelo senhor. Permite que eu leve mademoiselle Zia para um breve passeio nos jardins? Boa noite, mademoiselle – fez uma reverência exagerada para Mirelle. – Mil perdões, não a vi de imediato.

A dançarina aceitou a saudação com impaciência. Era claro que estava irritada com a interrupção de seu *tête-à-tête*. Poirot foi rápido em captar a indireta, e retirou-se sem demora logo que Papopolous respondeu: "Certamente".

Buscou a capa de Zia, e juntos saíram para os jardins.

– Aqui é onde ocorrem os suicídios – disse Zia.

Poirot encolheu os ombros

– Assim contam. Os homens são uns tolos, não são, mademoiselle? Comer, beber, respirar o ar puro são coisas muito agradáveis. Tolo é quem renuncia a tudo isso apenas porque não tem dinheiro. Ou porque o coração sofre. *L'amour*... causa muitas fatalidades, não é mesmo?

Zia riu.

– Não devia rir do amor, mademoiselle – disse o detetive, sacudindo o indicador com energia –, sendo tão jovem e bonita.

– Esquece que estou com 33 anos, monsieur Poirot. Serei franca, porque não é bom agir de outro modo. Como o senhor mesmo disse ao meu pai, faz exatos dezessete anos desde que nos ajudou, naquela época em Paris.

– Quando olho para a senhorita parece-me muito menos tempo – retrucou Poirot, galante. – Mademoiselle era então muito parecida com o que é agora. Um pouco mais magra, um pouco mais pálida, um pouco mais séria. Tinha dezesseis anos e recém saíra do colégio interno. Não mais uma *petite pensionnaire*, mas ainda não uma mulher. Deliciosa e encantadora, mademoiselle Zia; e outros devem ter achado isso, sem dúvida.

– Aos dezesseis anos – disse Zia –, somos simplórias e um tanto tolas.

– Pode ser – disse Poirot. – Sim, pode muito bem ser. Aos dezesseis as jovens são crédulas, não? Acreditam no que lhes dizem.

Se Poirot viu os olhares enviesados que a jovem lançou para ele, fingiu não ter notado. Continuou, em tom sonhador:

– Aquele foi mesmo um caso curioso. Seu pai, mademoiselle, nunca entendeu a verdadeira natureza dele.

– Não?

– Quando me perguntou por detalhes, explicações, disse-lhe: "Sem escândalo, eu trouxe de volta aquilo que estava perdido. Não deve fazer perguntas." Sabe, mademoiselle, por que eu disse tais coisas?

– Não tenho a menor ideia – disse a garota, com frieza.

– Porque eu tinha um lugar em meu coração para uma pequena *pensionnaire*, tão pálida, tão magra, tão séria.
– Não entendo o que senhor está falando – reclamou Zia, zangada.
– Não, mademoiselle? Esqueceu-se de Antonio Pirezzio? – ele ouviu o repentino influxo da respiração dela. Quase um arfar.
– Veio trabalhar como assistente na loja, mas nem assim conseguiu apanhar o que queria. Mas um assistente pode cobiçar a filha do patrão, não pode? Ainda mais se é jovem, bonito e galanteador. Como não podem fazer amor o tempo todo, devem ocasionalmente falar de coisas que interessam a ambos... Tais como aquele item muito interessante que está temporariamente em posse de monsieur Papopolous. E uma vez que, como bem disse mademoiselle, as jovens são tolas e crédulas, é fácil acreditar e dar a ele um vislumbre daquele objeto em particular, mostrar onde está guardado. E mais tarde, quando está tudo acabado... quando a catástrofe inacreditável acontece, oh, Deus, a pobre pequena *pensionnaire*, em que situação terrível ela se vê. Está aterrorizada, a pobrezinha. Falar ou não falar? E então aparece aquele sujeito camarada, Hercule Poirot. Deve ter sido quase um milagre o jeito como as coisas se resolveram por si próprias. A peça inestimável é restituída e não há perguntas constrangedoras.

Zia virou-se para ele, com ferocidade:
– Sabia o tempo todo? Quem lhe contou? Foi... foi Antonio?

Poirot negou com um aceno de cabeça e disse, tranquilo:
– Ninguém me contou. Eu supus. Foi uma boa suposição, não foi, mademoiselle? Entenda, a menos que se seja bom em fazer suposições, não há muita utilidade em ser um detetive.

A garota caminhou ao lado dele em silêncio por alguns minutos. Até que disse, com voz dura:

– Bem, o que o senhor vai fazer a respeito disso? Vai contar a meu pai?

– Não – cortou Poirot, abrupto. – Certamente que não.

Ela o olhou com curiosidade

– Quer alguma coisa de mim?

– Quero sua ajuda, mademoiselle.

– O que o faz pensar que posso ajudá-lo?

– Não penso. Apenas assim espero.

– E se eu não o ajudar, então... vai contar ao meu pai?

– Não, não! Livre-se dessa ideia, mademoiselle. Não sou um chantagista. Não vou segurar o segredo sobre sua cabeça e o ameaçar com ele.

– Se me recusar a ajudá-lo... – começou a garota, lentamente.

– Então a senhorita se recusou, e é tudo.

– Então por quê...?

– Ouça-me e eu direi o porquê. Mulheres, mademoiselle, são generosas. Se puderem retribuir a alguém que já lhes prestou um favor, elas retribuirão. E fui generoso com mademoiselle certa vez. Contive minha língua quando poderia ter falado.

Houve outro momento de silêncio, ao fim do qual a garota disse:

– Meu pai deu-lhe uma dica outro dia.

– E foi muito gentil da parte dele.

– Não creio – continuou Zia, entre pausas – que haja alguma coisa que eu possa acrescentar ao que ele já disse.

Se Poirot estava desapontado, não demonstrou. Nenhum músculo de sua face se moveu.

– *Eh bien*! – ele disse, jovial. – Então falemos de outras coisas.

E continuou a conversar alegremente. A garota, contudo, estava distraída, e suas respostas eram automáticas e nem sempre apropriadas. Quando se aproximavam do cassino mais uma vez, ela pareceu chegar a uma decisão.

– Monsieur Poirot?

– Sim, mademoiselle.

– Eu... Eu gostaria de ajudá-lo se pudesse.

– Mademoiselle é muito amável... muito amável.

Outra vez houve uma pausa. Poirot não a pressionou. Estava disposto a esperá-la em seu próprio tempo.

– Ah – disse Zia. – Afinal, por que não deveria contar? Meu pai é cauteloso... sempre cauteloso em tudo o que diz. Mas sei que com o senhor isso não é necessário. Disse-nos que procura apenas o assassino, e que não está preocupado com as joias. Acredito no senhor. Estava absolutamente certo quando supôs que estávamos em Nice por causa dos rubis. Foram trazidos aqui conforme o plano. Meu pai os tem agora. Ele lhe deu uma dica no outro dia sobre quem era nosso misterioso cliente.

– O Marquês? – murmurou Poirot com suavidade.

– Sim, o Marquês.

– Já viu o Marquês, mademoiselle Zia?

– Uma vez, mas não muito bem – disse a garota, e acrescentou: – Através do buraco de uma fechadura.

– O que sempre apresenta suas dificuldades – disse Poirot, com simpatia –, mas ainda assim, o viu. Conseguiria reconhecê-lo?

Zia fez que não com a cabeça e explicou:

– Ele usava uma máscara.

– Jovem ou velho?

– Tinha cabelo branco. Podia ou não ser uma peruca, ajustava-se muito bem. Mas não creio que fosse velho. Seu andar era jovem, bem como sua voz.

– Sua voz? – exclamou Poirot. – Ah, sua voz! Seria capaz de reconhecê-la, mademoiselle Zia?

– É possível – disse a garota.

– Estava interessada nele, não? Foi isso que a levou ao buraco da fechadura?

Zia anuiu.

– Sim, sim, estava curiosa. Ouve-se tanta coisa... Ele não é um ladrão comum... É mais como uma personagem de romance.

– Sim, talvez seja – disse Poirot, pensativo.

– Mas não era isso que eu queria contar-lhe – emendou Zia. – Era outro fato que, acho, seria... bem... útil para o senhor.

– Sim? – Poirot encorajou-a.

– Os rubis, como eu disse, foram entregues a meu pai aqui em Nice. Eu não vi a pessoa que os entregou, mas...

– Mas?

– Uma coisa eu sei: *era uma mulher.*

Capítulo 29

Uma carta de casa

Querida Katherine...
Vivendo entre grandes amigos, como vive agora, não creio que estará interessada em ouvir qualquer notícia nossa; mas, como sempre a considerei uma moça sensata, talvez você esteja um pouquinho menos convencida do que suponho. Tudo continua mais ou menos igual por aqui. Houve grande agitação a respeito do novo cura, que é escandalosamente alto. Em minha opinião, é apenas um católico. Todos falaram a respeito com o vigário, mas sabe como ele é: todo caridade cristã e nenhuma espirituosidade. Tive uma porção de problemas com as criadas ultimamente. Aquela garota Annie não era boa coisa... Saias acima dos joelhos e não se dispunha a usar meias de lã decentes. Nenhuma delas desempenha o que se lhe diz para fazer. De qualquer modo, tenho sofrido muitas dores com meu reumatismo, e o dr. Harris persuadiu-me a ir a Londres para consultar um especialista... Um desperdício de três guinéus*, fora a passagem de trem, como eu disse a ele; mas, ao esperar até quarta-feira, consegui baratear a viagem de volta. O médico de Londres amarrou a cara e falou com muitos rodeios e nunca de modo direto, até que eu disse para ele: "Sou uma mulher franca, doutor, e gosto que as coisas sejam ditas francamente. É câncer ou não?" E então, é claro, ele teve de dizer que era. Dizem que, com cuidado, duro um ano sem muitas dores,

---

* Primeira moeda de ouro cunhada à máquina na Grã-Bretanha, o guinéu (cujo valor aproximado era de uma libra e cinco *pence*, ou 21 *shilllings*) já era uma unidade monetária extinta desde 1816, quando foi substituído pela libra com o valor mais alto. Mas o uso do termo ainda era comum na época da publicação deste romance. (N.T.)

mas tenho certeza de que posso aguentar o sofrimento tão bem quanto qualquer outra cristã. A vida parece um tanto solitária às vezes, com a maioria dos meus amigos mortos ou longe. O fato é que gostaria que você estivesse aqui em St. Mary Mead, minha querida. Se não tivesse herdado aquele dinheiro e entrado para a alta sociedade, eu lhe ofereceria o dobro do salário que a pobre Jane lhe pagava para que viesse e cuidasse de mim; mas não, não é bom desejar o que não podemos ter. Contudo, se as coisas ficarem ruins para você... o que é sempre possível, tenho ouvido um sem-fim de histórias sobre falsos aristocratas que casam com garotas, se apossam do dinheiro e então deixam-nas na porta da igreja. Ouso dizer que você é ajuizada demais para que qualquer coisa do tipo lhe aconteça, mas a gente nunca sabe; e nunca tendo recebido muita atenção de tipo algum, um pouco que seja poderia facilmente subir-lhe à cabeça. Portanto, a título de prevenção, minha querida, lembre-se de que sempre haverá um lar para você aqui; e, apesar de eu ser uma mulher de conversa franca, sou também de coração franco.

Sua afetuosa amiga,
Amelia Viner.

P.S.: Vi uma notícia no jornal sobre você e sua prima, a viscondessa Tamplin, e a juntei aos meus recortes. No domingo, rezei por você, para que se mantivesse a salvo do orgulho e da presunção.

Katherine leu aquela carta característica duas vezes, largou-a e ficou a olhar para as águas azuis do Mediterrâneo através da janela de seu quarto. Sentia um aperto curioso na garganta. Foi engolfada por uma súbita onda de saudades de St. Mary Mead – tão cheia de estúpidas coisinhas familiares e cotidianas... E ainda assim, seu lar.

Sentia-se bastante inclinada a enterrar o rosto nos braços e abandonar-se a um choro intenso e verdadeiro.

Foi salva pela chegada de Lenox naquele exato momento.

– Olá, Katherine. Qual é o problema?

– Nada – respondeu Katherine, agarrando a carta da sra. Viner e jogando-a dentro da bolsa.

– Parece um tanto estranha – insistiu Lenox. – Mas ouça. Espero que não se importe... Telefonei para seu amigo detetive, monsieur Poirot, e convidei-o para almoçar conosco em Nice. Disse que você queria vê-lo, uma vez que ele provavelmente não aceitaria um convite meu.

– Você quer vê-lo? – perguntou Katherine.

– Sim – disse Lenox. – Ele me fascina. Nunca conheci um homem antes cujos olhos fossem realmente verdes como os de um gato.

– Tudo bem – disse Katherine, em tom distraído. Os últimos dias haviam sido árduos. A prisão de Derek Kettering era o tópico do momento, e o "mistério do Trem Azul" fora discutido sob todos os pontos de vista concebíveis.

– Mandei chamar o carro – disse Lenox – e contei uma mentira ou outra para minha mãe... Infelizmente, não consigo recordar com exatidão qual, mas não importa, já que ela nunca se lembra. Se soubesse aonde estávamos indo, desejaria ir também, para apertar monsieur Poirot.

As duas chegaram ao Negresco e encontraram Poirot à espera. Estava pleno da cortesia gaulesa, e dirigiu tantos elogios às moças que elas logo se abandonaram às gargalhadas, ainda que a refeição não tenha sido alegre para nenhum deles. Katherine estava ausente e distraída, e Lenox entremeava conversação com silêncios. Quando estavam no terraço, sorvendo seus cafés, ela atacou Poirot diretamente:

– Como vão as coisas? Sabe a que me refiro?

Poirot encolheu os ombros e disse:

– Seguem seu curso.

– E o senhor está apenas deixando que sigam seu curso?

Poirot a olhou com tristeza:

– Mademoiselle é jovem, mas há três coisas que não podem ser apressadas: *le bon Dieu*, a natureza e os velhos.

– Absurdo! – disse Lenox. – O senhor não é velho.

– Ah, é agradável o que acaba de dizer...

– Ali vem o major Knighton – disse Lenox.

Katherine olhou rápido em volta e se virou outra vez.

– Está com o sr. Van Aldin – continuou Lenox. – Há uma coisa que quero perguntar ao major Knighton. Levará só um minuto.

Deixados sozinhos, Poirot se inclinou para frente e sussurrou para Katherine.

– Está *distraite*, mademoiselle. Seus pensamentos estão longe daqui, não estão?

– Tão longe quanto a Inglaterra, não mais.

Guiada por um súbito impulso, pegou a carta que havia recebido naquela manhã e estendeu-a para que lesse.

– São as primeiras palavras que me chegaram vindas de minha antiga vida... E doeram.

Ele leu a carta e a devolveu.

– Então vai voltar para St. Mary Mead?

– Não, não vou – disse Katherine. – Por que voltaria?

– Ah – disse Poirot. – Erro meu. Queira me dar licença um minutinho.

Andou até onde Lenox Tamplin conversava com Van Aldin e Knighton. O americano parecia velho e fatigado. Saudou Poirot com um breve aceno de cabeça, mas sem nenhum sinal de animação. Enquanto se voltava para responder a um comentário feito por Lenox, Poirot chamou Knighton à parte e disse:

– O sr. Van Aldin parece doente.

– O senhor se surpreende? – perguntou Knighton. – O escândalo da prisão de Derek Kettering o abalou muito. Está até arrependido de haver pedido ao senhor que descobrisse a verdade.

– Devia voltar para a Inglaterra – disse Poirot.

– Estamos indo depois de amanhã.

– Boas novas – disse Poirot, que hesitou e lançou um olhar através do terraço até onde Katherine estava sentada. – Gostaria que dissesse isso à senhorita Grey.

– Dizer o quê?

– Que o senhor... quer dizer, que o sr. Van Aldin está voltando para a Inglaterra.

Knighton pareceu um pouco embaraçado, mas prontamente cruzou o terraço ao encontro de Katherine.

Poirot ficou a observá-lo com um aceno satisfeito de cabeça e então aproximou-se de Lenox e do americano. Minutos depois, reuniram-se aos outros. Depois de algum tempo de conversa generalizada, o milionário e seu secretário partiram. Poirot também se preparou para sair.

– Agradeço muitíssimo pela sua hospitalidade, *mesdemoiselles,* foi um almoço dos mais encantadores. *Ma foi,* eu precisava disso! – Estufou o peito, bateu-o e exclamou: – Sou agora um leão... um gigante. Ah, mademoiselle Katherine, não viu ainda o que posso fazer. Viu o Hercule Poirot calmo e gentil, mas há outro. A partir de agora intimidarei, ameaçarei, instigarei terror nos corações daqueles que me ouvirem.

Olhou-as com um ar de autossatisfação, e ambas pareceram devidamente impressionadas, embora Lenox mordesse o lábio inferior, e os cantos dos lábios de Katherine repuxassem de modo suspeito.

– Eu o farei... – disse, gravemente. – Oh, sim, e terei sucesso.

Ainda não havia andado mais do que alguns passos quando a voz de Katherine o fez dar meia-volta.

– Monsieur Poirot, eu... eu quero dizer-lhe. Creio que estava certo. Voltarei para a Inglaterra imediatamente.

Poirot olhou-a fixo e com dureza, e, sob aquele escrutínio direto, ela corou.

– Entendo – ele comentou, sério.

– Não creio que entenda – disse Katherine.

– Sei mais do que imagina, mademoiselle – emendou, tranquilamente.

Ele a deixou, com um sorriso estranho nos lábios. Entrou em um automóvel que o esperava e rumou para Antibes.

Hipolyte, o impassível empregado do conde de la Roche, estava ocupado lustrando a bela mesa de vidro trabalhado de seu patrão. O conde havia ido passar o dia em Monte Carlo. Ao olhar casualmente pela janela, o criado percebeu um visitante que caminhava vivamente para a porta de entrada, um visitante de um tipo tão incomum que Hipolyte, experiente como era, teve dificuldade em classificar. Chamou sua esposa, Marie, atarefada na cozinha, e dirigiu a atenção dela para o que denominou *ce type là*.

– É a polícia outra vez? – perguntou Marie, com ansiedade.

– Veja por si mesma – foi a resposta de Hipolyte.

Marie olhou.

– Certamente não é a polícia – declarou. – Que bom.

– Eles nem nos incomodaram tanto, na verdade – disse Hipolyte. – De fato, se não fosse pelo aviso do senhor conde, eu nunca teria adivinhado que aquele estranho na taberna de vinhos era o que era.

A campainha do salão soou com estrépito e Hipolyte, com maneiras sérias e decorosas, foi abrir a porta.

– Lamento informar que o senhor conde não está em casa.

O homenzinho com grandes bigodes sorriu placidamente e respondeu:

– Sei disso. Você é Hipolyte Flavelle, não é?

– Sim, monsieur, é o meu nome.

— E você tem uma esposa, Marie Flavelle?

— Sim, monsieur, mas...

— Desejo falar com ambos – disse o estranho, e avançou ágil, deixando Hipolyte para trás, no saguão. – Sua esposa, sem dúvida, está na cozinha. Irei até lá.

Antes que Hipolyte pudesse recuperar o fôlego, o outro havia escolhido a porta da direita no fundo do salão, atravessado o corredor e adentrado a cozinha, onde Marie parou pra olhá-lo de boca aberta.

— *Voilà*! – disse o estranho, e afundou-se em uma cadeira de braços de madeira. – Sou Hercule Poirot.

— Sim, monsieur?

— Não conhecem o nome?

— Nunca o ouvi – disse Hipolyte.

— Permita-me dizer que receberam uma instrução sofrível. É um nome legendário.

Soltou um suspiro e cruzou as mãos sobre o peito. Hipolyte e Marie encaravam-no, preocupados. Estavam perdidos sobre o que fazer com aquele visitante inesperado e estranho. Hipolyte murmurou mecanicamente:

— O que monsieur deseja?

— Desejo saber por que mentiram para a polícia.

— Monsieur! – reclamou Hipolyte. – Eu? Mentir para a polícia? Nunca na vida fiz tal coisa.

Poirot sacudiu a cabeça e disse:

— Está errado. Já mentiu em muitas ocasiões. Deixe-me ver... – tirou uma pequena caderneta do bolso e consultou as páginas. – Ah, sim: em sete oportunidades, pelo menos. Vou repeti-las para vocês.

Em uma voz gentil e sem emoção, prosseguiu, resumindo as sete ocasiões. Hipolyte estava perplexo.

— Mas não é a respeito desses lapsos do passado que quero falar – continuou Poirot –, apenas, meu caro amigo, não tenha por hábito achar-se muito esperto. Vamos agora à mentira particular na qual estou interessado: sua declaração de que o conde de la Roche chegou a esta *villa* na manhã do dia 14 de janeiro.

– Mas isso não é mentira, monsieur; é a verdade. O senhor conde chegou aqui na manhã de terça-feira, dia 14. Foi assim, não foi, Marie?

Marie assentiu com ansiedade:

– Ah, sim, está bem certo. Lembro-me perfeitamente.

– Oh, e o que você preparou para o *déjeuner* de seu bom patrão aquele dia? – perguntou Poirot.

– Eu... – Marie hesitou, tentando recompor-se.

– É estranho – disse Poirot – como alguém se lembra de umas coisas... e se esquece de outras.

Inclinou-se para frente e deu um soco no tampo da mesa; os olhos faiscando de raiva.

– Sim, sim. É como eu digo. Contam suas mentiras e pensam que ninguém saberá. Mas há duas pessoas que sabem. Sim... duas pessoas. Uma é *le bon Dieu...* – ergueu uma das mãos para o céu, recostou-se na cadeira, cerrou as pálpebras e sussurrou – e a outra é Hercule Poirot.

– Eu lhe asseguro, monsieur, que está completamente enganado. O senhor conde deixou Paris na noite de segunda...

– É verdade – disse Poirot –, pela linha rápida. Não sei onde ele interrompeu a viagem, talvez nem vocês saibam. O que sei é que ele chegou aqui na manhã de quarta-feira, e não na de terça.

– Monsieur está enganado – disse Marie, impassível.

Poirot se levantou.

– Então a lei deve seguir seu curso – murmurou. – O que é uma pena.

– O que quer dizer, monsieur? – perguntou Marie, com uma sombra de desconforto.

– Serão presos e confinados como cúmplices do assassinato da sra. Kettering, a dama inglesa.

– Assassinato!

O rosto do homem assumiu uma palidez de giz e seus joelhos tremeram. Marie deixou cair o rolo de macarrão e começou a chorar.

— Mas isso é impossível... impossível. Eu pensei...
— Uma vez que se aferram à sua história, não há nada mais a ser dito. Acho que são idiotas, ambos.

Estava se dirigindo para a saída quando uma voz agitada o deteve.

— Monsieur, monsieur, um momentinho. Eu... Eu não tinha ideia de que era algo dessa natureza. Eu... eu pensei que se tratava de uma questão referente a uma dama. Já houve antes alguns embaraços com a polícia a respeito de senhoras. Mas assassinato... é muito diferente.

— Não tenho mais paciência com você — gritou Poirot. Voltou até onde eles estavam e sacudiu, irritado, o punho fechado diante do rosto de Hipolyte. — Devo ficar aqui o dia inteiro, discutindo com tal dupla de imbecis? É a verdade que quero. Se não estão dispostos a me dar, o problema é de vocês. *Pela última vez, quando monsieur le comte chegou a Villa Marina... Na manhã de terça ou de quarta?*

— Quarta — ofegou o homem. Marie, atrás dele, confirmou com um aceno de cabeça.

Poirot observou-os atentamente por algum tempo e então inclinou-se com gravidade:

— São sensatas, crianças — disse, tranquilo. — Estiveram muito perto de uma séria encrenca.

Deixou Villa Marina sorrindo consigo mesmo.

— Um palpite confirmado. Devo tentar a sorte com o outro?

Eram seis horas da tarde quando o cartão de monsieur Hercule Poirot foi levado até Mirelle. Ela o fitou por instantes e permitiu que ele subisse. Quando Poirot entrou no quarto, encontrou-a caminhando febril de um lado para outro. Virou-se para ele, furiosa.

— E então? — gritou. — O que é agora? Já não me torturaram o suficiente, todos vocês: não me fizeram trair meu pobre Dereek? Que mais querem de mim?

– Só uma perguntinha, mademoiselle. Depois que o trem partiu de Lyon, em que momento a senhorita entrou no compartimento da sra. Kettering?

– O que é isso?

Poirot olhou-a com um ar vago de censura e começou outra vez.

– Perguntei-lhe em que momento entrou na cabine da sra. Kettering...

– Eu nunca entrei.

– E a encontrou...?

– Nunca entrei.

– *Ah, sacré*! – gritou, virando-se para ela com tanta raiva que ela se encolheu de medo: – Mente para mim? Digo-lhe que sei o que aconteceu tão bem como se estivesse lá. A senhorita entrou no compartimento e a encontrou morta. Sei disso. Mentir para mim é perigoso, mademoiselle Mirelle, tenha cuidado.

Os olhos dela tremeram diante dos dele.

– Eu... Eu não... – ela começou, de modo incerto, e parou, com os olhos no chão.

– Há apenas uma coisa sobre a qual ainda me pergunto – continuou Poirot. – Eu me pergunto, mademoiselle, se encontrou o que estava procurando por lá ou se...

– Se o quê?

– Ou se outro alguém já havia se adiantado.

– Não responderei a mais nenhuma pergunta! – gritou a dançarina. Com um repelão, afastou-se da mão com que Poirot a segurava e, jogando-se no chão em um frenesi, começou a gritar e a soluçar. Uma assustada criada de quarto surgiu correndo.

Hercule Poirot encolheu os ombros, ergueu as sobrancelhas e deixou o quarto com toda a calma.

Parecia satisfeito.

Capítulo 30

A srta. Viner diz o que pensa

Katherine olhou pela janela do quarto da srta. Viner. Chovia, uma garoa tranquila, fina e persistente. A janela enquadrava uma faixa do jardim em frente, com uma vereda que conduzia ao portão, guarnecida em ambos os lados por canteiros bem-tratados nos quais mais tarde floresceriam rosas, cravos e jacintos azuis.

A srta. Viner estava deitada em um grande leito vitoriano. Uma bandeja com os restos do café da manhã havia sido afastada para um lado, e ela se ocupava em abrir a correspondência e fazer muitos comentários cáusticos sobre ela.

Katherine tinha uma carta aberta em suas mãos e a relia pela segunda vez. Havia sido remetida do Hotel Ritz, em Paris.

Chère mademoiselle *Katherine...* (assim começava)
Confio que esteja com boa saúde e que o retorno ao inverno inglês não tenha se mostrado muito deprimente. Quanto a mim, prossigo minhas investigações com a máxima diligência. Não pense que estou aqui tirando férias. Muito em breve devo estar na Inglaterra, e espero ter o prazer de encontrá-la mais uma vez. Assim será, não? Na chegada a Londres, escreverei à senhorita. Lembra-se que somos colegas neste caso? Mas acredito, naturalmente, que a senhorita sabe disso muito bem.
Esteja certa, mademoiselle, dos meus mais respeitosos e devotados sentimentos.

Hercule Poirot.

Katherine franziu de leve o cenho. Havia algo confuso naquela carta, algo que a intrigava.

– Um piquenique para os rapazes do coro – foi a frase que veio da srta. Viner. – Tommy Saunders e Albert Dykes deveriam ser deixados pra trás, e de fato eu não contribuirei a menos que isso seja feito. Não sei o que aqueles dois garotos pensam que estão fazendo na Igreja aos domingos. Tommy cantou "Ó Deus, tenha pressa em salvar-nos" e não voltou mais a abrir os lábios, e se Albert Dykes não estava chupando disfarçadamente uma pastilha de menta, então meu nariz já não é mais o que sempre foi.

– Eu sei, eles são horríveis – concordou Katherine.

Ela abriu a segunda carta e um rubor súbito aflorou às suas faces. A voz da senhorita Viner pareceu chegar a ela vinda de muito longe. Quando apercebeu-se do que a rodeava, a senhorita Viner estava na conclusão triunfal de um longo discurso:

– E disse a ela: "Em hipótese alguma. Por acaso, a senhorita Grey é prima de lady Tamplin." Que acha disso?

– Esteve lutando as minhas batalhas por mim? Muito gentil de sua parte.

– Pode pôr as coisas desse modo, se assim quiser. Não há nada para mim em um título. Mulher de vigário ou não, aquela lá é uma víbora, sugerindo que você comprou seu ingresso na sociedade.

– Talvez não esteja de todo errada.

– E olhe para você – continuou a senhorita Viner. – Voltou uma dondoca convencida, como seria de se esperar? Não, aí está, ajuizada como sempre, com um par de boas meias Balbriggan* em sapatos adequados. Ontem mesmo falava sobre isso com Ellen. O que eu disse foi:

---

* Cidade do norte da Irlanda onde foram produzidas do século XVIII ao XX meias longas e ceroulas de algodão de excelente qualidade, a ponto de o nome do local, por extensão, tornar-se sinônimo desse tipo de peça. (N.T.)

"Ellen, olhe para a senhorita Grey. Travou relações com alguns dos maiorais deste reino, e nem por isso anda por aí que nem você, com as saias acima do joelho, meias de seda que se rasgam só de a gente olhar para elas e os sapatos mais ridículos sobre os quais já pus os olhos."

Katherine sorriu consigo mesma. Aparentemente valera a pena conformar-se com os preconceitos da senhorita Viner. A velha continuou com prazer crescente:

– Foi um grande alívio para mim que você não tenha voltado de cabeça virada. Ainda outro dia estava procurando meus recortes de jornal. Tenho muitos sobre lady Tamplin e seu hospital de guerra, mas não consigo encontrá-los. Gostaria que procurasse para mim, minha querida, sua vista é melhor que a minha. Estão todos em uma caixa na gaveta da cômoda.

Katherine lançou um olhar para a carta em sua mão e esteve perto de dizer alguma coisa, mas conteve-se. Foi até o móvel, achou a caixa de recortes e começou a procurar. Desde seu retorno a St. Mary Mead, seu coração não deixava de se admirar com a coragem e o estoicismo da senhorita Viner. Sentia que havia pouca coisa pudesse fazer pela amiga, mas sabia por experiência própria o quanto aquelas aparentes ninharias significavam para uma pessoa idosa.

– Aqui tem um – ela disse, dali a um instante. – "A viscondessa Tamplin, que está transformando sua *villa* em Nice em um hospital de guerra, foi vítima de um roubo sensacional. Entre as peças que foram roubadas, haviam esmeraldas muito afamadas e joias de família Tamplin."

– Provavelmente falsas – comentou a senhorita Viner. – As joias de um monte dessas mulheres de sociedade são imitações.

– Aqui está outro – disse Katherine. – Uma foto: "Um encantador retrato em estúdio da viscondessa Tamplin e de sua pequena filha Lenox".

– Deixe-me ver – disse a senhorita Viner. – Não se consegue ver muito do rosto da criança, não? Mas ouso dizer que dá na mesma. As coisas se dão ao contrário neste mundo, e mães bonitas têm filhos horrendos. É possível que o fotógrafo tenha percebido que enquadrar a nuca da garota era a melhor coisa que podia fazer por ela.

Katherine riu e continuou.

– "Uma das mais ativas anfitriãs da Riviera nesta temporada é a viscondessa Tamplin, que tem uma *villa* em Cap Martin. Sua prima, a senhorita Grey, que recentemente herdou uma vasta fortuna de maneira muito romântica, está hospedada no local."

– Essa é a que eu estava procurando – disse a senhorita Viner. – Suponho que tenha saído alguma foto sua em algum dos jornais que perdi; sabe a que tipo de coisa me refiro: "Sra. Fulana ou Beltrana, em tal lugar assimassado", normalmente carregando uma carabina e com um pé erguido no ar. Deve ser uma aflição para algumas delas ver o que ficam parecendo.

Katherine não respondeu. Alisava o recorte com os dedos, e seu rosto tinha uma expressão confusa e preocupada. Retirou a segunda carta do envelope, inteirou-se mais uma vez de seu conteúdo e virou-se para a amiga.

– Senhorita Viner. Eu me pergunto... Há uma pessoa amiga, alguém que conheci na Riviera, que gostaria muito de vir aqui me visitar.

– Um homem? – perguntou a senhorita Viner.

– Sim.

– E quem é?

– O secretário do sr. Van Aldin, o milionário americano.

– Como se chama?

– Knighton. Major Knighton.

– Secretário de um milionário... Humm... E quer fazer uma visita. Katherine, vou dizer uma coisa para seu próprio bem. Você é uma garota boa e ajuizada, mas, ainda que mantenha a cabeça na direção certa na maioria das coisas, toda mulher se porta como uma idiota uma vez na vida. Aposto dez contra um como esse homem está atrás de seu dinheiro.

Ela deteve com um gesto a resposta de Katherine:

– Já esperava algo do tipo. O que é um secretário de um ricaço? Nove em dez vezes, é um jovem que gosta de viver na maciota. Um jovem com atitudes refinadas, paixão pelo luxo, sem miolos e sem iniciativa, e se há um trabalho ainda mais fácil do que ser o secretário de um homem rico é casar-se com uma mulher rica pelo dinheiro dela. Não estou dizendo que não possa despertar o interesse de um homem, mas você já não é mais tão jovem, e embora tenha uma constituição muito boa, não é exatamente uma beldade. O que quero dizer-lhe é: não seja idiota. Mas, se está determinada a fazer isso, certifique-se de manter seu dinheiro bem junto de si. Agora terminei. O que tem a dizer?

– Nada – disse Katherine. – Mas se importaria se ele viesse me visitar?

– Lavo minhas mãos – disse a senhorita Viner. – Fiz minha obrigação, e o que quer que aconteça a partir de agora será por sua livre e espontânea vontade. Gostaria de convidá-lo para o almoço ou para o jantar? Ouso dizer que Ellen poderia preparar um jantar... isto é, se não perder a cabeça!

– Um almoço seria ótimo – disse Katherine. – É imensamente gentil de sua parte, senhorita Viner. Ele me pediu para telefonar. Farei isso e direi que teríamos prazer em que ele almoce conosco. Virá da cidade de carro.

– Ellen faz um bife com tomates grelhados bastante aceitável – disse a senhorita Viner. – Não é uma maravilha, mas ainda prepara isso melhor do que qualquer uma. Não é uma boa ideia servir torta porque ela tem a mão pesada para a massa, mas seus pudins são até passáveis. E ouso dizer que você pode encontrar um bom queijo de Stilton no Abbot. Sempre ouvi dizer que os cavalheiros apreciam um bom pedaço de Stilton, e há um bom suprimento de vinho, da reserva de meu pai, talvez uma garrafa de Moselle espumante.

– Oh, não, senhorita Viner. Isso não é realmente necessário.

– Que absurdo, minha filha. Nenhum cavalheiro é feliz a menos que beba alguma coisa à refeição. Há também alguns bons uísques de antes da guerra, se achar que é isso o que ele prefere. Agora faça o que eu disse e não discuta. A chave da adega está na terceira gaveta da penteadeira, dentro do segundo par de meias à esquerda.

Katherine foi, obediente, até o local indicado.

– No segundo par, lembre-se. No primeiro estão meus brincos de diamante e meu broche filigranado.

– Oh – disse Katherine, tomada de surpresa. – Não gostaria de guardá-los em seu porta-joias?

A senhorita Viner deu vazão a um ronco longo e terrível.

– É claro que não! Tenho muito juízo para esse tipo de coisa, obrigado. Querida, querida, lembro-me bem de quando meu pobre pai construiu um cofre-forte no térreo. Ficou tão satisfeito que disse para minha mãe: "Agora, Mary, traga-me sua caixa de joias para que eu a tranque para você todas as noites". Minha mãe era uma mulher de muito bom-senso, sabia que homens gostam de fazer as coisas a seu modo, e trazia o porta-joias para ser trancado do jeito como ele havia dito.

"E uma noite assaltantes entraram aqui. E é claro que, naturalmente, o primeiro lugar para onde foram foi o cofre! Só poderiam, com meu pai falando dele nos quatro cantos da aldeia, gabando-se como se mantivesse ali os diamantes do rei Salomão. Fizeram uma limpeza completa: as canecas de cerveja, a prataria, uma bandeja comemorativa de ouro com a qual meu pai havia sido presenteado, *e também* o porta-joias."

Ela suspirou, em tom de reminiscência:

– Meu pai entrou em pânico por causa das joias de minha mãe. Havia um conjunto veneziano, alguns camafeus muito bonitos, peças de coral claro, e dois anéis de diamantes com pedras bem grandes. E então, é lógico, ela disse a ele que, sendo uma mulher de juízo, havia mantido as joias enroladas em um par de espartilhos, e que estavam a salvo.

— E o porta-joias estava vazio?

— Oh, não, minha querida — disse a senhorita Viner. — Isso deixaria a caixa muito leve. Minha mãe era uma mulher muito inteligente, e previu isso. Guardava os botões na caixa, que era um lugar muito conveniente. Botões de botas no compartimento de cima, botões de calças na segunda bandeja e botões sortidos na bem de baixo. O curioso é que meu pai ficou muito irritado com ela. Disse que não gostava de ser enganado. Mas estou falando demais. Vá telefonar para seu amigo. Não esqueça de escolher um pedaço de carne e de dizer a Ellen que ela não deve usar meias furadas quando servir à mesa.

— O nome dela é Ellen ou Helen, senhorita Viner? Pensava...

A senhorita Viner fechou os olhos.

— Posso aspirar meus "HH", tão bem quanto qualquer um, querida, mas Helen não é um nome apropriado para uma criada. Não sei o que as mães das classes mais baixas andam pensando nos dias de hoje.

A chuva havia parado quando Knighton chegou ao chalé. A luz de um sol pálido e indeciso iluminava a cabeça de Katherine, parada à soleira para recepcioná-lo. Ele foi até ela rápido, com uma alegria quase infantil.

— Espero que não se importe. Eu simplesmente tinha de vê-la outra vez o mais breve possível. Espero que a amiga com a qual está hospedada não se importe.

— Entre e faça amizade com ela — disse Katherine. — Ela pode ser um pouco assustadora, mas logo perceberá que tem o coração mais gentil do mundo.

A senhorita Viner estava sentada majestosa na sala de visitas, com um conjunto completo dos broches que tão providencialmente haviam sido preservados na família. Saudou Knighton com dignidade e uma polidez austera que teriam lançado outros homens por terra. O major, contudo, tinha maneiras encantadoras que não podiam ser desconsideradas com facilidade, e, depois de uns dez minutos, o gelo da senhorita Viner já se desfizera de modo perceptível. Foi uma refeição alegre, e Ellen, ou Helen, em um par de meias novas de seda, sem furos, realizou um serviço prodigioso. Em seguida, Katherine e Knighton saíram para um passeio, e voltaram para tomar um chá *tête-à-tête*, uma vez que a senhorita Viner foi deitar-se.

Quando afinal o carro partiu, Katherine subiu as escadas devagar. Uma voz chamou-a e ela entrou no quarto da senhorita Viner.

– O amigo já foi?

– Sim. Muito obrigado por deixá-lo vir me visitar.

– Não precisa me agradecer. Acha que sou o tipo de velha mesquinha que nunca faz nada por ninguém?

– Acho que a senhora é muito querida – disse Katherine, afetuosamente.

– Humpf – resmungou a senhorita Viner, apaziguada.

Quando Katherine estava deixando o quarto a mulher chamou-a outra vez.

– Katherine?

– Sim.

– Eu estava errada sobre aquele seu rapaz. Um homem que está interessado em seduzir alguém pode ser cordial, galante, cheio de pequenas atenções e ainda por cima encantador. Mas quando um homem está realmente apaixonado, não consegue deixar de agir como um cordeiro. E hoje, toda vez que aquele jovem olhava para você, parecia um cordeirinho. Retiro tudo o que disse esta manhã. O rapaz é sincero.

Capítulo 31

O sr. Aarons almoça

– Ah! – disse o sr. Joseph Aarons, em tom de aprovação.

Tomou um longo gole de sua caneca de cerveja, baixou-a com um suspiro, limpou a espuma dos lábios e lançou, por sobre a mesa, um sorriso para seu anfitrião, monsieur Hercule Poirot.

– Quero – disse o sr. Aarons – um bom filé com dois dedos de espessura e uma caneca de algo que valha a pena beber, e pode ficar com suas comidas francesas cheias de frufrus. Seus "orrdóvres", seus omeletes e suas porções de codornas. Quero – ele reiterou – um filé bem grosso.

Poirot, que acabara de atender ao pedido, sorriu com simpatia.

– Não que haja algo errado com um bife simples e com um pudim de rins – continuou o sr. Aarons. – Torta de maçã? Sim, vou querer torta de maçã, obrigado, senhorita, e uma taça de creme de leite.

A refeição prosseguiu. Finalmente, com um longo suspiro, o sr. Aarons baixou o garfo e a colher, preparando-se para se divertir com um pouco de queijo antes de se dedicar a outros assuntos.

– Acredito que havia mencionado uma pequena questão de negócios, monsieur Poirot – comentou. – Ficaria feliz em fazer qualquer coisa para ajudá-lo.

– Muito gentil de sua parte – emendou Poirot. – Disse a mim mesmo: "Se quer saber alguma coisa sobre o ofício do teatro, só há uma pessoa que conhece tudo o que há para conhecer, e essa pessoa é o meu velho amigo, o sr. Joseph Aarons".

— E não está errado — disse um complacente sr. Aarons —; seja passado, presente ou futuro, Joe Aarons é o homem.

— *Précisément.* Agora quero perguntar-lhe, monsieur Aarons, o que sabe sobre uma jovem a quem chamam Kidd.

— Kidd? Kitty Kidd?

— Kitty Kidd.

— Muito esperta. Papéis de homem, canções e dança... É essa?

— É.

— *Muito* esperta. Fez um bom pé-de-meia, nunca lhe faltava serviço. Interpretava papéis masculinos, na maioria das vezes, mas, para ser justo, não havia nada a falar dela como atriz de caracteres.

— Assim ouvi dizer — disse Poirot. — Mas não tem aparecido muito ultimamente, não?

— Não. Caiu fora. Foi para a França e fez amizade com um nobre importante por lá. Deixou o palco de uma vez por todas, eu acho.

— Há quanto tempo foi isso?

— Deixe-me ver. Três anos atrás. E foi uma perda... se me permite dizer.

— Era esperta?

— Esperta como uma carrada de macacos.

— Não sabe o nome do homem de quem ela se tornou amiga em Paris?

— Era um figurão, isso eu sei. Um conde... ou um marquês? Agora me lembro, creio que era um marquês.

— E desde então não soube mais nada dela?

— Nada. Nunca sequer topei com ela por acidente. Aposto que está rodando por esses hotéis de luxo estrangeiros, levando uma vida de marquesa. Não se podia enganar a Kitty. Ela retribuiria em dobro.

— Entendo — comentou Poirot.

– Sinto muito se não posso dizer mais, monsieur Poirot – disse o outro. – Gostaria de lhe ser útil se eu pudesse. O senhor me fez um grande favor uma vez.

– Ah, mas daquilo estamos quites. O senhor, também, me fez um grande favor.

– Uma mão lava a outra. Há, há! – gargalhou o sr. Aarons.

– Sua profissão deve ser muito interessante – disse Poirot.

– Mais ou menos – respondeu o sr. Aarons, sem se comprometer. – Tem bons e maus momentos. Analisadas bem as coisas, não estou tão mal assim, mas temos de manter os olhos abertos. Nunca se sabe o que o público vai querer a seguir.

– A dança esteve na moda nos últimos anos – murmurou Poirot.

– *Eu* nunca vi nada demais nesse tal balé russo, mas as pessoas gostam. Muito cheio de firulas pra mim.

– Conheci uma dançarina na Riviera... Mademoiselle Mirelle.

– Mirelle? Ela é um arraso, de acordo com a opinião geral. Sempre há dinheiro por trás dela, embora, para ser justo, a garota dance de verdade. Eu a vi, e sei do que estou falando. Nunca tive de lidar com ela, mas já ouvi que é um terror. Acessos de fúria e de mau humor o tempo todo.

– Sim – disse Poirot, pensativo. – Sim, posso imaginar.

– Temperamentais! – disse o sr. Aarons. – Temperamentais, é o que dizem que são. Minha patroa foi dançarina antes de casar comigo, mas ainda bem que posso dizer que nunca foi temperamental. O senhor não vai querer uma pessoa temperamental em casa, monsieur Poirot.

– Concordo com o senhor, meu amigo. Seria algo bastante inconveniente.

– Uma mulher deve ser calma e compreensiva, e uma boa cozinheira – continuou o sr. Aarons.

– Mirelle não está nesse negócio há muito tempo, não? – indagou Poirot.

– Cerca de dois anos e meio, no máximo – respondeu o sr. Aarons. Algum duque francês promoveu sua estreia. Ouvi dizer que agora está com o ex-primeiro ministro da Grécia. São chapas como esses que têm dinheiro para jogar fora com ela.

– Isso é novidade para mim – disse Poirot.

– Oh, ela não é do tipo que esquenta banco. Dizem que o jovem Kettering matou a esposa por causa dela. Não sei, não tenho certeza. De qualquer jeito, ele está na cadeia, e ela teve de tomar conta de si mesma, e com certeza foi bem esperta. Dizem que está usando um rubi do tamanho de um ovo de pombo... Não que eu alguma vez tenha visto um ovo de pombo, mas é como sempre dizem nas obras de ficção.

– Um rubi do tamanho de um ovo de pombo! – disse Poirot, com os olhos verdes e felinos. – Que interessante!

– Ouvi de um amigo – disse o sr. Aarons –, mas, até onde sei, pode ser vidro colorido. São todas iguais, essas mulheres, nunca param de contar altas histórias sobre suas joias. Mirelle anda se gabando de que há uma maldição sobre o dela, "Coração de Fogo", acho que é como o chama.

– Mas se me lembro bem – disse Poirot –, o rubi chamado "Coração de Fogo" é a pedra central de um colar.

– Veja você. Não lhe disse que não há limite para as mentiras que as mulheres contam sobre suas joias? Este é uma pedra única, presa a uma corrente de platina que ela usa no pescoço; mas, como eu disse, aposto dez contra um que é um pedaço de vidro colorido.

– Não – disse Poirot gentilmente. – Não... algo me leva a pensar que não se trata de vidro colorido.

Capítulo 32

Katherine e Poirot comparam impressões

– Está diferente, mademoiselle – disse Poirot, subitamente. Ele e Katherine estavam sentados, um de frente para o outro, a uma mesa no Savoy. – Sim, está diferente.
– De que maneira?
– Mademoiselle, há certas nuances difíceis de expressar.
– Estou ficando velha.
– Sim, está mais velha. E com isso não quero dizer que as rugas e os pés de galinha estão aparecendo. Quando a vi pela primeira vez, mademoiselle, era uma espectadora da vida. Tinha o ar tranquilo e admirado de quem se senta a um camarote no fundo e assiste à peça.
– E agora?
– Agora a senhorita não parece mais assistir. Talvez seja absurdo dizer isto, mas agora tem o ar atento de um lutador travando uma peleja difícil.
– A senhora com quem vivo é difícil, algumas vezes – disse Katherine, com um sorriso –, mas posso assegurar que não estou engajada em combates mortais contra ela. Precisa aparecer por lá para visitá-la qualquer dia, monsieur Poirot. Creio que o senhor apreciaria sua coragem e seu espírito.

Houve um silêncio enquanto o garçom os servia, com destreza, de galinha *en casserole*. Quando ele saiu, Poirot disse:

– Já lhe falei de meu amigo Hastings? O que diz que eu sou uma ostra humana? *Eh bien*, senhorita. Encontrei meu par na senhorita, que, ainda mais do que eu, joga uma partida solitária.

– Que bobagem – provocou Katherine, levemente.

– Nunca diga que Hercule Poirot fala bobagens. É bem como eu disse.

Outra vez houve um silêncio, que Poirot quebrou inquirindo:

– Tem visto algum de nossos amigos da Riviera desde que voltou para cá, mademoiselle?

– Tenho visto, às vezes, o major Knighton.

– Ah-há! Então é isso? – algo nos olhos brilhantes de Poirot fez Katherine baixar os dela.

– O sr. Van Aldin permanece em Londres?

– Sim.

– Devo tentar vê-lo amanhã ou depois.

– Tem notícias para ele?

– O que a faz pensar nisso?

– Supus, é só.

Poirot lançou-lhe um olhar cintilante.

– Agora, mademoiselle, há muito que gostaria de me perguntar, posso perceber. E por que não? O caso do Trem Azul não é nosso *roman policier* particular?

– Sim, há coisas que eu gostaria de lhe perguntar.

– *Eh bien*?

Katherine fitou-o com ar resoluto.

– O que fazia em Paris, monsieur Poirot?

O detetive sorriu de leve.

– Dei um telefonema para a embaixada russa.

– Oh.

– Vejo que isso não lhe diz nada. Mas não serei uma ostra humana. Vou pôr minhas cartas na mesa, o que, certamente, é uma coisa que as ostras nunca fazem. A senhorita suspeita, não é mesmo, que não estou satisfeito com o caso contra Derek Kettering?

– É o que tenho estado a imaginar. Pensei, em Nice, que o senhor dera o caso por encerrado.

– Não me disse tudo o que está pensando, mademoiselle, mas eu admitirei tudo. Fui eu, ou melhor, foram minhas investigações que puseram Derek Kettering onde ele está agora. Se não fosse por mim, o juiz de instrução ainda estaria tentando, em vão, atribuir o crime ao conde de la Roche. *Eh bien, mademoiselle.* Não me arrependo do que fiz. Tenho apenas um dever: descobrir a verdade, e ela me levou até o sr. Kettering. Mas realmente terminou ali? A polícia diz sim, mas eu, Hercule Poirot, não estou satisfeito – ele se interrompeu de súbito. – Diga-me, tem ouvido notícias de mademoiselle Lenox ultimamente?

– Uma carta muito curta. Ela está, creio, desgostosa comigo por ter voltado à Inglaterra.

Poirot anuiu.

– Tive uma conversa com ela na noite que monsieur Kettering foi preso. Foi muito interessante, de muitas maneiras.

Outra vez ficou em silêncio, e Katherine não lhe interrompeu o raciocínio.

– Mademoiselle – continuou, por fim –, estou pisando em terreno movediço, mas ainda assim vou dizer-lhe. Há, eu creio, alguém que ama monsieur Kettering... Corrija-me se eu estiver errado... E pelo amor dessa pessoa, bem, pelo amor dela, espero que eu esteja certo e a polícia errada. Sabe quem é essa pessoa?

Houve uma pausa e Katherine disse:

– Sim, acho que sei.

Poirot debruçou-se sobre a mesa na direção dela.

– Não estou satisfeito, mademoiselle; não, não estou mesmo. Os fatos principais levaram diretamente a monsieur Kettering. Mas uma coisa não foi levada em conta.

– O quê?

– A face desfigurada da vítima. Perguntei a mim mesmo, mademoiselle, uma centena de vezes: "Derek Kettering era o tipo de homem que desferiria aquele golpe esmagador depois de haver cometido o assassinato? A que fim isso serviria? Com que propósito foi executado? Seria uma ação compatível com alguém do temperamento de monsieur Kettering?" E, mademoiselle, as respostas para essas questões são profundamente insatisfatórias. Volto sempre ao mesmo ponto: "por quê?" E estas são as únicas coisas que tenho para me ajudar na solução do problema.

Sacou sua caderneta do bolso e extraiu dali algo que manteve entre o indicador e o polegar.

– Lembra-se, mademoiselle? Viu-me tirar estes fios de cabelo da cortina no vagão do trem.

Katherine inclinou-se para frente e submeteu os fios a um escrutínio atento.

Poirot sacudiu a cabeça vagarosamente algumas vezes.

– À mademoiselle não dizem nada, posso ver. E ainda assim... de algum modo creio que a senhorita tem algo a dizer.

– Andei tendo umas ideias curiosas – disse Katherine, devagar. – Por isso perguntei-lhe o que andava fazendo em Paris, monsieur Poirot.

– Quando lhe escrevi?
– Do Ritz?

Um sorriso aflorou ao rosto de Poirot.

– Sim, do Ritz. Às vezes sou um apreciador do luxo... quando um milionário está pagando.

Katherine franziu o cenho:

– A embaixada russa. Não vejo onde se encaixa.

– Não se encaixa diretamente, mademoiselle. Fui até lá para obter algumas informações. Encontrei um determinado personagem e o ameacei... Sim, mademoiselle, eu, Hercule Poirot, o ameacei.

– Com a polícia?

– Não – disse Poirot com ironia –, com a imprensa, uma arma muito mais letal.

Olhou para Katherine e ela sorriu para ele, apenas sacudindo a cabeça.

– Não estará o senhor se convertendo outra vez em uma ostra, monsieur Poirot?

– Não, não, não é minha intenção fazer mistério, conto-lhe tudo. Suspeitava que esse homem havia tomado parte ativa na venda das joias para monsieur Van Aldin. Eu o confrontei, e no fim consegui arrancar-lhe a história toda. Soube onde as joias haviam sido entregues, e soube, também, que do lado de fora um homem andava para cima e para baixo, um homem com uma venerável cabeleira branca, mas que caminhava com o passo leve e flexível de um jovem... E dei a esse homem um nome... O nome de "senhor Marquês".

– E agora veio até Londres para ver o sr. Van Aldin?

– Não só por essa razão. Tinha trabalho a fazer. Desde que cheguei a Londres, encontrei-me com outras duas pessoas... um agente teatral e um médico da Harley Street. De cada um deles obtive certas informações. Junte-as, mademoiselle, e veja se consegue distribuí-las da mesma forma que eu.

– Eu?

– Sim, a senhorita. Deixe-me dizer uma coisa, mademoiselle. Estive o tempo todo em dúvida sobre se o roubo e o assassinato haviam sido cometidos pela mesma pessoa. Por muito tempo, não estive bem certo.

– E agora?

– Agora eu *sei*.

Houve um momento de silêncio ao fim do qual Katherine levantou a cabeça, com um brilho no olhar.

– Não sou inteligente como o senhor. Metade das coisas que me disse não parecem apontar para lugar algum. As ideias que tive me vieram de um ângulo inteiramente diferente.

– Ah, mas isso é sempre assim – disse Poirot, tranquilo. – O espelho mostra a verdade, mas cada um se colocará em um lugar diferente para observá-la.

– Minhas ideias podem ser absurdas, podem ser bem diferentes das suas, mas...

– Sim?

– Diga-me, isto o ajuda de alguma forma?

Ele tomou um recorte de jornal das mãos estendidas, leu-o e, erguendo os olhos, sacudiu a cabeça com gravidade.

– Como eu disse, mademoiselle, cada um se posiciona em um ângulo diferente para olhar o espelho, mas ainda é o mesmo espelho, com as mesmas coisas nele refletidas.

Katherine se levantou e disse:

– Tenho de me apressar. Tenho pouco tempo para pegar o trem, monsieur Poirot...

– Sim, mademoiselle.

– Não... não pode demorar muito, o senhor entende? Eu... Eu não posso aguentar muito mais.

A voz falhou-lhe, e ele bateu-lhe de leve na mão, de maneira tranquilizadora.

– Coragem, mademoiselle. Não deve fraquejar agora... o fim está muito próximo.

Capítulo 33

Uma nova teoria

– Monsieur Poirot quer vê-lo, senhor.
– Maldito sujeito! – disse Van Aldin.

Knighton permaneceu em um silêncio compreensivo. Van Aldin ergueu-se de sua cadeira e começou a andar de um lado para o outro.

– Suponho que tenha visto os malditos jornais esta manhã?

– Dei uma olhada, senhor.

– Ainda estão fazendo barulho?

– Receio que sim, senhor.

O milionário sentou-se outra vez e pressionou a mão contra a testa.

– Se eu tivesse a mínima ideia do que aconteceria, juro por Deus que jamais teria pedido àquele pequeno belga que descobrisse a verdade. Encontrar o assassino de Ruth... Era só no que eu pensava.

– Gostaria que seu genro tivesse escapado ileso?

Van Aldin suspirou.

– Teria preferido fazer justiça com minhas próprias mãos.

– Não acho que seria um procedimento sensato, senhor.

– Não importa... Tem certeza de que aquele camarada quer falar comigo?

– Sim, sr. Van Aldin, e manifestou urgência.

– Então suponho que tenho de vê-lo. Diga-lhe que pode vir esta manhã, se assim quiser.

Foi um Poirot vivaz e jovial que se apresentou a Van Aldin. Não pareceu notar nenhuma falta de cordialidade nos modos do milionário, e conversou animadamente sobre trivialidades. Estava em Londres, explicou, para consultar o médico. Mencionou o nome de um eminente cirurgião.

— Não, não, *pas la guerre*... Trata-se de uma lembrança de meus dias na força policial, uma bala desferida por um marginal ignóbil — levou a mão ao ombro esquerdo e fez uma careta de dor. — Sempre o considerei um homem de sorte, monsieur Van Aldin; não é como a ideia popular que temos dos milionários americanos, mártires da dispepsia.

— Sou bem forte — disse Van Aldin. — Levo uma vida muito simples, o senhor sabe. Comida frugal e em pouca quantidade.

— Tem visto a senhorita Grey, não tem? — indagou Poirot, virando-se com ar inocente para o secretário.

— Sim... Uma ou duas vezes... — respondeu Knighton, corando de leve.

Van Aldin exclamou, surpreso:

— Engraçado nunca ter comentado comigo que a tinha visto, Knighton.

— Não pensei que estaria interessado, senhor.

— Gosto muito daquela garota — disse Van Aldin.

— É uma grande lástima que tenha ido enterrar-se mais uma vez em St. Mary Mead — emendou Poirot.

— Foi muito gentil da parte dela — disse Knighton com ardor. — Há muito poucas pessoas que fariam tal coisa para cuidar de uma velha desagradável a quem não está ligada por parentesco nenhum.

— Não falo mais nisso — declarou Poirot, com os olhos faiscantes. — Mas ainda assim digo que é uma pena. E agora, *messieurs*, vamos aos negócios.

Ambos os homens olharam para ele com surpresa.

— Não deve ficar espantado ou alarmado com o que estou prestes a dizer. Suponha, monsieur Van Aldin, que no fim das contas Derek Kettering não tenha matado a esposa.

— O quê?

Os dois homens encararam-no surpresos.

– Suponha, dizia eu, que monsieur Kettering não assassinou a esposa.

– O senhor é louco, monsieur Poirot? – era Van Aldin falando.

– Não – disse Poirot –, não sou louco, talvez excêntrico, ao menos assim o dizem certas pessoas; mas, no que diz respeito à minha profissão, tenho, como dizem, "os pés na Terra". Pergunto, sr. Van Aldin: ficaria feliz ou triste se o que acabo de dizer fosse verdade?

Van Aldin olhou fixo para ele e disse, por fim:

– Naturalmente ficaria feliz. É um mero exercício de suposição, monsieur Poirot, ou há algum fato por trás disso?

Poirot ergueu os olhos para o teto e disse, tranquilo:

– Há uma possibilidade de que possa ter sido o conde de la Roche, no fim das contas. Ao menos, obtive sucesso em contestar-lhe o álibi.

– E como conseguiu isso?

Poirot encolheu os ombros com modéstia.

– Tenho meus próprios métodos. Um pouco de tato, um pouco de esperteza... e a coisa está feita.

– Mas e os rubis? – inquiriu Van Aldin. – Aqueles rubis que o conde tinha em seu poder eram falsos.

– E claramente ele não teria cometido o crime se não fosse pelos rubis. Mas está se concentrando demais em um único ponto, monsieur Van Aldin. No que diz respeito aos rubis, alguém deve ter se antecipado a ele.

– Mas é uma teoria inteiramente nova – exclamou Knighton.

– Acredita realmente em toda essa falação, monsieur Poirot? – interpelou o milionário.

– A coisa não está provada – disse Poirot calmamente. – É ainda apenas uma teoria, mas vou lhe dizer uma coisa, monsieur Van Aldin: são fatos que valem a pena ser investigados. Deve voltar comigo ao sul da França e examinar o caso no local.

– Acha realmente necessário... Que eu vá, quero dizer?

– Pensava que era o que o senhor queria fazer – insistiu Poirot, com um tom de reprovação insinuada que não passou despercebido aos ouvidos do outro.

– Sim, sim, é claro. Quando gostaria de começar, monsieur Poirot?

– Está bastante ocupado no presente momento, senhor – murmurou Knighton.

Mas o milionário já havia tomado sua decisão e ignorou as objeções do secretário.

– Acho que este negócio vem primeiro – disse. – Tudo bem, monsieur Poirot. Amanhã. Em que trem?

– Iremos no Trem Azul – respondeu Poirot, com um sorriso.

Capítulo 34

De volta ao Trem Azul

O "trem dos milionários", como às vezes é chamado, fez uma curva em uma velocidade que parecia perigosa. Van Aldin, Knighton e Poirot estavam sentados em silêncio. Os dois primeiros ocupavam compartimentos contíguos e comunicantes, como Ruth Kettering e sua criada haviam feito na fatídica jornada. O compartimento de Poirot ficava mais ao fundo no vagão.

A viagem era dolorosa para Van Aldin, despertando nele as mais angustiantes memórias. Poirot e Knighton conversavam ocasionalmente em voz baixa, para não incomodá-lo.

Quando, contudo, o trem completou a lenta jornada ao redor da *ceinture* e alcançou a Gare de Lyon, Poirot foi impulsionado a agir. Van Aldin percebeu que parte do objetivo ao viajar naquele trem havia sido reconstituir o crime. O próprio Poirot interpretava todos os papéis. Foi, sucessivamente, a criada, trancada às pressas em seu próprio compartimento, a sra. Kettering, reconhecendo seu marido com surpresa e um toque de ansiedade, e Derek Kettering, descobrindo que a esposa viajava no mesmo trem. Testou várias possibilidades, bem como a melhor maneira para uma pessoa esconder-se no segundo compartimento.

De repente, uma ideia pareceu atingi-lo. Agarrou Van Aldin pelo braço:

– *Mon Dieu*, mas isto é algo em que não havia pensado. Temos de interromper nossa jornada em Paris. Rápido, rápido, temos de desembarcar de uma vez.

Carregando as malas, ele apeou do trem, com pressa. Van Aldin e Knighton, desnorteados mas obedientes, seguiram-no. Após haver novamente formado uma ideia sobre a reputação de Poirot, o milionário estava pronto a abandoná-la. Na barreira, foram retidos por um funcionário: suas passagens haviam ficado com o condutor do trem, algo que os três haviam esquecido.

As explicações de Poirot foram rápidas, fluentes e passionais, mas não produziram efeito algum na fisionomia impassível do oficial.

– Vamos sair dessa de uma vez – disse Van Aldin, abrupto. – Aposto que está com pressa, monsieur Poirot. Então, pelo amor de Deus, pague a passagem desde Calais e deixe-nos chegar de uma vez a seja lá qual lugar o senhor tenha em mente.

Mas a torrente de palavras de Poirot havia subitamente secado, e ele tinha o aspecto de um homem transformado em pedra. O braço, ainda estendido em um gesto apaixonado, permaneceu imóvel, como que paralisado.

– Fui um imbecil – disse. – *Ma foi*. Perco a cabeça facilmente hoje em dia. Vamos voltar e continuar nossa viagem tranquilos. Com alguma sorte, o trem ainda não partiu.

Chegaram em cima da hora. O trem já se movia quando Knighton, o último dos três, lançou-se a bordo com sua mala. O condutor protestou com veemência e ajudou-os a carregar a bagagem de volta para seus compartimentos. Van Aldin não disse nada, mas era claro que estava desgostoso com o comportamento excêntrico de Poirot. Quando ficou a sós com Knighton, comentou:

– É uma caçada inútil. O homem perdeu o tino. É certo que tem tutano, até certo ponto, mas um homem que perde a cabeça e anda em círculos como um coelho assustado não serve para coisa alguma neste mundo.

Poirot veio até eles logo depois, cheio de humilhantes desculpas, tão abatidas que palavras mais duras teriam sido supérfluas. Van Aldin recebeu as escusas com ar sério, mas conseguiu abster-se de fazer comentários ácidos.

Jantaram no trem, e em seguida, um pouco para surpresa dos outros dois, Poirot sugeriu que os três fossem até o compartimento de Van Aldin. O milionário lançou-lhe um olhar curioso.

– Está escondendo algo de nós, monsieur Poirot.

– Eu? – Poirot abriu os olhos em uma expressão de inocente surpresa. – Mas que ideia!

Van Aldin não respondeu, mas não ficou satisfeito. Foi dito ao condutor que não precisaria arrumar as camas, e qualquer surpresa da parte dele foi prontamente suprimida pela generosidade da gorjeta que Van Aldin lhe repassou. Os três homens sentaram-se em silêncio. Poirot remexia-se e parecia impaciente. Virou-se para o secretário:

– Major Knighton, a porta de seu compartimento está trancada? A que dá para o corredor, quero dizer.

– Sim, está, eu mesmo a tranquei agora há pouco.

– Tem certeza? – disse Poirot.

– Vou até lá e me certifico, se o senhor quiser – disse Knighton, sorridente.

– Não, não se perturbe. Eu mesmo vou ver.

Passou através da porta de conexão e voltou poucos segundos depois, sacudindo a cabeça.

– Sim, sim, bem como o senhor disse. Perdoe um velho cheio de manias – fechou a porta de comunicação e reassumiu seu lugar no canto esquerdo.

As horas passavam. Os três cabeceavam de sono a intervalos, acordando com sobressaltos desconfortáveis. Provavelmente nunca antes três pessoas haviam reservado leitos no trem mais luxuoso à disposição para se recusar a aproveitar as acomodações pelas quais haviam pago. De vez em quando, Poirot olhava para o relógio, sacudia a cabeça e tirava mais uma soneca. Em determinada oportunidade, levantou-se e abriu a porta de comunicação, perscrutando com atenção o compartimento adjacente. Voltou por fim ao seu assento.

– Qual é o problema? – sussurrou Knighton. – Está esperando que algo aconteça, não?

– Estou nervoso – confessou Poirot. – Sou um pouco como o gato sobre os ladrilhos quentes. Qualquer barulhinho me faz pular.

Knighton bocejou.

– Que viagem terrível e desconfortável – resmungou. – Espero que o senhor saiba o que está fazendo, monsieur Poirot.

Ajeitou-se para dormir o melhor que podia. Tanto ele quanto Van Aldin haviam sucumbido ao sono quando Poirot, olhando seu relógio pela milésima vez, atravessou o compartimento e deu um tapinha no ombro do milionário.

– O que foi?

– Devemos chegar a Lyon dentro de cinco a dez minutos.

– Meu Deus! – o rosto de Van Aldin parecia pálido e fatigado na luz difusa. – Então deve ter sido por esta hora que a pobre Ruth foi morta.

Ele endireitou-se e seus lábios tremeram um pouco enquanto a mente recuava até a terrível tragédia que lhe havia enlutado a vida.

Ouviu-se o rotineiro e estridente guincho dos freios, e o trem diminuiu a velocidade até parar em Lyon. Van Aldin desceu a janela e olhou para fora.

– Se não foi Derek, se sua nova teoria está correta, foi aqui que o homem desceu do trem? – perguntou, virando o rosto sobre o ombro.

Para grande surpresa, Poirot disse, refletidamente:

– Não. Nenhum homem deixou o trem, mas creio... Sim, creio que uma mulher possa tê-lo feito.

– Uma mulher? – perguntou Van Aldin, atento.

– Sim, uma mulher – disse Poirot, sacudindo a cabeça. – Pode não se recordar, monsieur Van Aldin, mas a senhorita Grey mencionou em seu depoimento que um rapaz muito jovem com uma boina e um sobretudo desceu na plataforma para, ostensivamente, esticar as pernas. Quanto a mim, acho muito provável que esse rapazinho fosse uma mulher.

– Mas quem seria?

A face de Van Aldin expressava incredulidade, mas Poirot retrucou em tom sério e categórico:

– O nome dela... ou o nome pelo qual foi conhecida por muitos anos... é Kitty Kidd, mas o senhor, monsieur Van Aldin, a conhecia por outro nome... *Ada Mason*.

Knighton ergueu-se de um salto e gritou:

– O quê?

Poirot se aproximou dele.

– Ah, antes que me esqueça – meteu a mão no bolso e retirou algo. – Permita-me que ofereça um cigarro... ainda que de sua própria cigarreira. Foi descuidado de sua parte deixá-la cair quando embarcou no trem pelo *ceinture* de Paris.

Knighton ficou em pé encarando-o estupefato, até que esboçou um movimento – e Poirot ergueu a mão em um gesto de advertência:

– Não, não se mova – disse, com voz aveludada. – A porta do compartimento ao lado está aberta, e a partir deste momento o senhor se encontra sob a mira de armas. Destranquei a porta que dá para o corredor quando deixamos Paris, e disse aos nossos amigos da polícia que se alojassem ali. Como presumo que o senhor saiba, a polícia francesa gostaria de falar-lhe com a máxima urgência, major Knighton. Ou devo dizer... senhor Marquês?

Capítulo 35

Explicações

– Explicações?
Poirot sorriu. Estava sentado de frente para o milionário a uma mesa de jantar na suíte privativa deste último no Negresco. Van Aldin encarava-o aliviado, mas muito confuso. Poirot reclinou-se em sua cadeira, acendeu uma de suas cigarrilhas e ficou a olhar pensativo para o teto.

– Sim, darei explicações. Começou com um ponto que me intrigou. Sabe que ponto foi esse? *O rosto desfigurado.* Não é uma coisa incomum de se encontrar na investigação de um crime e sempre levanta uma questão imediata: a da identidade. Essa, naturalmente, foi a primeira pergunta que me ocorreu. A mulher era mesmo a sra. Kettering? Mas essa linha não me levou a lugar nenhum, devido ao reconhecimento feito pela senhorita Grey ter sido positivo e muito confiável, então eu deixei a ideia de lado. A vítima *era* Ruth Kettering.

– Quando começou a suspeitar da criada?

– Há não muito tempo, mas um detalhezinho peculiar chamou minha atenção: a cigarreira achada no vagão, e Mason ter nos dito que a sra. Kettering a havia comprado para dá-la ao marido. Achei muito improvável, dados os termos em que as coisas estavam entre eles. Aquilo despertou uma dúvida na minha cabeça quanto à veracidade geral das declarações de Ada Mason. Havia, também, o fato muito suspeito e digno de ser levado em consideração de que ela se encontrava a serviço de sua filha há apenas dois meses. Certamente não parecia que pudesse ter alguma coisa a ver com o crime, uma vez que havia sido deixada para trás em Paris e a sra. Kettering fora vista com vida por muitas pessoas depois daquilo, mas...

Poirot inclinou-se para frente, ergueu um indicador enfático e sacudiu-o na direção de Van Aldin.

"– Mas sou um bom detetive: eu suspeito. Não há nada nem ninguém de que não suspeite, nem acredito em coisa alguma que me seja dita. Perguntei a mim mesmo: como sabemos que Ada Mason foi realmente deixada em Paris? E em um primeiro momento a resposta a essa questão parecia satisfatória. Havia a declaração de seu secretário, major Knighton, um perfeito estranho, cujo testemunho supostamente seria imparcial, e havia ainda as palavras da própria vítima ao condutor no trem. Mas deixei o último ponto de lado, por um momento, porque uma ideia muito curiosa, uma ideia talvez fantástica ou impossível, estava tomando forma em minha mente. Se por alguma casualidade ela se provasse verdadeira, aquela peça testemunhal em particular resultaria sem valor.

"– Concentrei-me no principal obstáculo para minha teoria: as declarações do major Knighton de que havia visto Ada Mason no Ritz depois que o Trem Azul já havia deixado Paris. O que parecia conclusivo o bastante, mas, no entanto, examinando os fatos cuidadosamente, notei duas coisas. A primeira: por uma curiosa coincidência, ele também estava havia exatamente dois meses ao seu serviço. A segunda: a inicial de seu nome era a mesma letra K. Supondo, apenas supondo, que fosse *dele* aquela cigarreira encontrada no vagão. Então, se os dois estivessem trabalhando juntos, e ela tivesse reconhecido o objeto quando o apresentamos, não teria agido precisamente daquela forma? Pega de surpresa em um primeiro momento, rapidamente apresentara uma teoria plausível que se ajustava à culpa do sr. Kettering. *Bien entendu*, não era essa a ideia original. O conde de la Roche deveria ser o bode expiatório, embora Ada Mason não fizesse um reconhecimento positivo, para o caso de ele estar apto a provar um álibi. Agora, se o senhor levar sua mente de volta àquela época, lembrará de que algo significativo aconteceu. Sugeri a Ada Mason que ela havia visto não o conde de la Roche, e sim Derek Kettering. Na hora ela pareceu incerta, mas depois que eu havia voltado para o meu hotel o senhor me telefonou e disse que ela o havia procurado para dizer que, pensando melhor, estava agora bastante convencida de que o homem em questão era o sr. Kettering. Eu esperava algo do tipo. Só podia haver uma explicação para aquela certeza súbita: depois de deixar o hotel ela havia tido tempo para consultar alguém, de quem recebera instruções. Quem deu a ela tais instruções? O major Knighton. E havia outro detalhezinho ínfimo, que podia não significar nada e podia significar muita coisa. Em uma conversa casual, Knighton havia falado de um roubo de joias na casa em que estivera hospedado em Yorkshire. Talvez uma mera coincidência... talvez outro elo na corrente."

— Mas há uma coisa que eu não entendo, monsieur Poirot. Devo ser um tapado ou já teria percebido: quem era o homem no trem em Paris? Derek Kettering ou o conde de la Roche?

— Essa é a simplicidade da coisa toda. Não havia homem algum. Ah... *mille tonnerres*! Não vê a esperteza de tudo isso? Em que nos baseávamos para concluir que havia um homem lá? Apenas na palavra de Ada Mason. E nós acreditamos em Ada Mason por causa do testemunho de Knighton de que ela havia ficado em Paris.

— Mas a própria Ruth disse ao condutor que havia deixado a criada para trás — objetou Van Aldin.

— Ah! Estou chegando lá. Temos agora as palavras da própria sra. Kettering, mas, por outro lado, não temos realmente o depoimento dela, porque uma mulher morta não pode depor. Não era o testemunho *dela*, mas sim o testemunho do condutor do trem, duas coisas completamente diferentes.

— Então acha que o homem mentiu?

– Não, não, de modo algum. Falou o que pensava ser a verdade. Mas a mulher que lhe disse que havia deixado a criada em Paris não era a sra. Kettering.

Van Aldin encarou-o.

– Monsieur Van Aldin, Ruth Kettering foi morta antes de o trem chegar à Gare de Lyon. Foi Ada Mason, vestida com as roupas inconfundíveis de sua patroa, que pediu uma cesta de comida e que fez aquela muito necessária declaração para o condutor.

– Impossível!

– Não, monsieur Van Aldin; não é impossível. *Les femmes* se parecem tanto hoje em dia que são reconhecidas mais pelas roupas do que pelo rosto. Ada Mason era da mesma altura de sua filha. Vestida naquele suntuoso casaco de pele e com o chapéu de laca vermelha caído sobre os olhos, com apenas alguns cachos de cabelo ruivo aparecendo por trás das orelhas, não é de admirar que o condutor tivesse sido enganado. Ele ainda não havia falado com a sra. Kettering, o senhor deve se lembrar. É claro que deve ter visto a criada ao menos quando ela lhe entregou os bilhetes, mas reteve somente a impressão de uma mulher esquelética de vestido preto. Se fosse de inteligência incomum, teria percebido que a patroa e a criada não eram nem parecidas, mas é extremamente improvável que tenha sequer pensado nisso. E lembre-se: Ada Mason, ou Kitty Kidd, era uma atriz, hábil em mudar de aparência e de timbre de voz de um momento para o outro. Não, não havia perigo de que o condutor reconhecesse a criada nos trajes da patroa, mas havia sim o perigo de que quando o corpo fosse descoberto ele percebesse que aquela não era mulher com quem havia falado na noite anterior. E agora temos a razão para o rosto desfigurado. O maior risco a que Ada Mason se expunha era o de que Katherine Grey pudesse visitar a companheira de viagem em seu compartimento depois que o trem tivesse saído de Paris. Tomou providências contra essa dificuldade pedindo uma cesta de comida e trancando-se na cabine.

– Mas quem matou Ruth... e quando?

– Primeiro, tenha em mente que o crime foi planejado e executado pelos dois: Knighton e Ada Mason trabalhando juntos. Knighton estava em Paris naquele dia, a seu serviço. Embarcou no trem em algum lugar no trajeto da *ceinture*. A sra. Kettering ficou surpresa, mas não tinha motivos para suspeitar. Talvez ele tenha chamado a atenção dela para algo fora da janela, e aproveitado o momento para passar-lhe a corda ao redor do pescoço... e tudo estava acabado em segundos. A porta do compartimento estava trancada, e ele e Ada Mason se lançaram ao trabalho. Despiram as roupas da vítima, enrolaram o corpo em uma cortina e o puseram no compartimento adjacente, entre malas e bagagens. Knighton saltou do trem, e levou consigo o estojo contendo os rubis. Uma vez que os indícios apontariam para um crime cometido só dali a doze horas, estava perfeitamente a salvo, e seu depoimento e as palavras da falsa sra. Kettering para o condutor providenciariam o álibi perfeito para sua cúmplice.

"– Na Gare de Lyon, Ada Mason encomendou uma cesta de comida e, trancando-se no compartimento, rapidamente vestiu as roupas de sua senhora, ajustando os cachos falsos de cabelo ruivo, e arrumou-se de modo a parecer-se o mais possível com ela. Quando o condutor chegou para arrumar a cama, ela ficou parada olhando pela janela, com as costas voltadas para o corredor e para as pessoas que nele passavam. O que foi uma sábia precaução, porque, como sabemos, a senhorita Grey era um desses passantes, e apenas ela, dentre todos os outros, estaria disposta a jurar que a sra. Kettering estava viva naquela hora."

– Prossiga – disse Van Aldin.

– Antes de chegar a Lyon, Ada Mason ajeitou o corpo da senhora no leito, dobrou cuidadosamente as roupas aos pés da morta, vestiu-se com trajes masculinos e preparou-se para deixar o trem. Quando Derek Kettering entrou no compartimento da esposa e pensou que ela estava dormindo, a cena já estava montada, e Ada Mason estava escondida no compartimento ao lado esperando o momento de sair do trem sem ser vista. Assim que o condutor desceu na plataforma em Lyon ela o seguiu, andando despreocupadamente como se apenas quisesse tomar um pouco de ar. Em um momento em que ninguém estava olhando, apressou-se a cruzar para a outra plataforma e tomar o primeiro trem de volta para Paris e para o Hotel Ritz. O nome dela estaria na lista de registros desde a noite anterior graças a uma das cúmplices de Knighton. Ela não tinha mais nada a fazer a não esperar placidamente pela sua chegada, sr. Van Aldin. As joias não estavam, e nunca estiveram, em poder dela. Nenhuma suspeita a ligava a Knighton, que, como seu secretário, pôde trazê-las para Nice sem medo de ser descoberto. A entrega das joias ao sr. Papopolous já estava combinada, e, na última hora, foram confiadas a Mason para serem levadas ao grego. No conjunto, um golpe cuidadosamente planejado, como seria de se esperar de um mestre jogador como o Marquês.

– O senhor está mesmo me dizendo que Richard Knighton era um criminoso conhecido que vinha fazendo esse tipo de negócio há anos?

Poirot anuiu.

– Um dos principais recursos do cavalheiro chamado Marquês eram suas maneiras educadas e insinuantes. Monsieur Van Aldin também caiu vítima de seu encanto quando o contratou para ser seu secretário depois de tão pouco tempo de relação.

– Poderia jurar que ele não nunca tentou obter o cargo – lamentou o milionário.

– Foi tudo feito de um jeito muito astuto... Tão astuto que enganou até um homem cujo conhecimento sobre os demais é tão grande quanto o seu.

– Informei-me sobre seus antecedentes, também. A ficha do sujeito era excelente.

– Sim, sim, era parte do jogo. Como Richard Knighton, sua vida estava livre de qualquer mácula. Ele era bem nascido, bem relacionado, servira de modo honroso durante a guerra e parecia totalmente acima de qualquer suspeita; mas quando comecei a catar informações sobre o misterioso Marquês, encontrei muitos pontos de similaridade. Knighton falava francês como um nativo, havia estado na América, na França e na Inglaterra na mesma época que o Marquês agira naqueles lugares. O Marquês era suspeito de planejar vários roubos de joias na Suíça, e foi na Suíça que o senhor cruzou com o major Knighton. E foi precisamente naquela época que começaram a circular os primeiros boatos de que o senhor estava em negociações para comprar os famosos rubis.

– Mas por que o assassinato? – murmurou Van Aldin, arrasado. – Certamente um ladrão habilidoso poderia ter roubado as joias sem arriscar seu pescoço na forca.

Poirot sacudiu a cabeça:

– Este não é o primeiro assassinato na conta do Marquês. Ele é um assassino por instinto, e acredita, também, em livrar-se de todas as evidências. Mortos não contam histórias.

"– O Marquês tinha uma intensa paixão por joias históricas famosas. Traçou seus planos com antecedência instalando-se como seu secretário e garantindo que sua cúmplice obtivesse o emprego como criada de sua filha, a quem ele presumiu que as joias estavam destinadas. E, embora tivesse amadurecido cuidadosamente o plano, não teve pruridos de tentar um atalho, contratando uma dupla de apaches para emboscá-lo na noite em que comprou as joias. Aquele golpe falhou, o que muito deve tê-lo surpreendido, eu acho. Já o plano que arquitetara, pensou, era completamente seguro. Nenhuma suspeita recairia sobre Richard Knighton. Mas como todos os grandes homens, e creia-me, o Marquês é um grande homem, ele tinha sua fraqueza. Ele se apaixonou sinceramente pela senhorita

Grey, e, suspeitando de que ela gostasse de Derek Kettering, não pôde resistir à tentação de responsabilizá-lo pelo crime quando a oportunidade se apresentou. E agora, monsieur Van Aldin, vou dizer-lhe algo muito curioso. A senhorita Grey não é, de jeito nenhum, uma mulher de imaginação desvairada. Mas ainda assim ela acredita firmemente que sentiu a presença de sua filha ao lado dela certo dia, nos jardins do Cassino em Monte Carlo, logo após ter mantido uma longa conversa com Knighton. Ela estava convencida de que a mulher morta tentava contar-lhe algo, com insistência, e que subitamente percebeu que a sra. Kettering queria dizer que Knighton era o assassino! A ideia pareceu tão fantástica na época que ela não falou a respeito com mais ninguém, mas estava tão convicta de sua veracidade que resolveu agir, ainda que de um modo aparentemente desvairado. Ela não desencorajou os avanços de Knighton e fingiu acreditar plenamente na culpa de Derek Kettering."

– Extraordinário – disse Van Aldin.

– Sim, e muito estranho. Não se pode explicar tais coisas. Oh, a propósito, houve um pequeno detalhe que me confundiu consideravelmente. O seu secretário, evidentemente, era manco, como resultado de um ferimento durante a guerra. Mas o Marquês não mancava. Parecia-me um obstáculo definitivo. Mas a senhorita Lenox Tamplin mencionou um dia, casualmente, que o coxear de Knighton havia sido uma surpresa para o cirurgião que havia se encarregado do caso no hospital de sua mãe. Aquilo me sugeriu um engodo. Quando estive em Londres, fui até o médico em questão e obtive muitos detalhes técnicos que confirmaram minha suspeita. Anteontem, mencionei o nome do cirurgião de modo a que Knighton o ouvisse. O natural seria Knighton comentar que havia sido atendido pelo mesmo profissional durante a guerra, mas não disse nada... e esse detalhe, acima de tudo, representou para mim a afirmação definitiva de que minha teoria a respeito do crime estava correta. A senhorita Grey, também, forneceu-me um recorte de jornal no qual se relatava um roubo ocorrido no hospital de guerra de lady Tamplin durante a época em que Knighton esteve lá internado. Ela percebeu que eu estava na mesma pista que ela quando lhe escrevi uma carta do Ritz, em Paris. Tive alguns problemas em minhas investigações por lá, mas obtive o que eu queria... a informação de que Ada Mason havia chegado na manhã seguinte ao crime e não na noite do dia anterior.

Houve um longo silêncio, ao fim do qual o milionário estendeu a mão por sobre a mesa para apertar a de Poirot.

– Creio que o senhor compreende o que isso significa para mim, monsieur Poirot – disse, com a voz embargada. – Enviarei um cheque amanhã pela manhã, mas não há cheque no mundo que possa expressar o que eu sinto pelo que fez por mim. O senhor é o bom, monsieur Poirot. O senhor é o melhor.

Poirot se levantou com o peito estufado e respondeu modesto:

– Sou apenas Hercule Poirot. Como o senhor mesmo já me disse, à minha maneira eu sou um grande homem, do mesmo modo que o senhor. Estou feliz e contente de ter estado a seu serviço. Agora quero reparar os danos provocados pela viagem. E ai de mim! Meu excelente Georges não está aqui.

No saguão do hotel ele encontrou o venerável senhor Papopolous, ao lado da filha Zia.

– Pensei que o senhor havia partido de Nice, monsieur Poirot – ronronou o grego enquanto apertava a mão afetuosamente estendida.

– Negócios me forçaram a voltar, meu caro monsieur Papopolous.

– Negócios?

– Sim, negócios. E por falar de negócios, espero que sua saúde esteja melhor, velho amigo.

– Muito melhor. Na verdade, estamos voltando para Paris amanhã.

– Estou encantado em ouvir tão boas notícias. Ainda não arruinou completamente o ex-primeiro-ministro grego, suponho.

– Eu?

– Estou certo em concluir que o senhor vendeu a ele um rubi maravilhoso que... estritamente *entre nous*... tem sido usado por mademoiselle Mirelle, a dançarina?

– Sim, é isso mesmo – sussurrou o sr. Papopolous.

– Um rubi quase idêntico ao famoso "Coração de Fogo"?

– Tem seus pontos de semelhança, certamente – disse o grego, em tom casual.

– Tem a mão maravilhosa para joias, monsieur Papopolous, eu o cumprimento. Mademoiselle Zia, lamento que esteja voltando tão rápido para Paris. Tinha esperanças de vê-la com mais frequência agora que meu negócio aqui está concluído.

– Eu estaria sendo indiscreto se perguntasse de que negócio se trata? – indagou o sr. Papopolous.

– De modo algum, de modo algum. Fui bem-sucedido em pôr as mãos no Marquês.

Um ar distante tomou conta da nobre fisionomia do sr. Papopolous.

– O Marquês? – ele murmurou. – Por que esse nome me soa familiar? Não... Realmente não me recordo.

– Tenho certeza que não – emendou Poirot. – Refiro-me a um notório criminoso e ladrão de joias. Ele foi preso pelo assassinato daquela dama inglesa, madame Kettering.

– Verdade? Que interessante!

Seguiu-se uma polida troca de despedidas, e quando Poirot estava longe demais para ouvir, o sr. Papopolous virou-se para sua filha e comentou, impressionado:

– Zia, aquele homem é o demônio.

– Eu gosto dele.

– Também gosto dele – admitiu o sr. Papopolous. – Mas ainda assim, ele é o demônio.

Capítulo 36

À beira-mar

As mimosas estavam quase murchas, e o perfume que desprendiam era vagamente desagradável. Gerânios cor-de-rosa enroscavam-se ao redor da balaustrada da villa de lady Tamplin, e uma massa de cravos mais abaixo lançava no ar um perfume doce e enjoativo. O Mediterrâneo estava em seu período mais azul. Poirot sentou-se no terraço com Lenox Tamplin. Havia acabado de contar a ela a mesma história que havia relatado a Van Aldin dois dias antes. Lenox o ouvira absorta, com as sobrancelhas unidas e os olhos sombrios.

Quando ele terminou, ela simplesmente disse:
– E Derek?
– Foi libertado ontem.
– E partiu... para onde?
– Deixou Nice ontem à noite.
– Foi para St. Mary Mead?
– Sim, para St. Mary Mead.

Houve uma pausa e Lenox continuou.

– Eu estava enganada sobre Katherine. Achei que não gostasse dele.

– Ela é muito reservada e não confia em ninguém.

– Poderia ter confiado em mim – disse Lenox, com um toque de amargura.

– Sim – ajuntou Poirot com seriedade –, poderia ter confiado na senhorita Mas mademoiselle Katherine passou grande parte de sua vida ouvindo, e aqueles que muito ouvem não acham fácil falar; mantêm suas dores e alegrias para si próprios e não as contam a ninguém.

– Fui uma idiota – disse Lenox. – Pensei que ela realmente gostasse de Knighton. Deveria ter percebido.

Suponho que me convenci disso porque, bem, tinha esperança de que fosse verdade.

Poirot apertou a mão dela de modo amigável e disse, gentil:

– Coragem, mademoiselle.

Lenox olhou para o mar, e sua face, em sua feia rigidez, teve um momento de trágica beleza.

– Oh, bem – ela voltou, por fim –, não teria dado certo. Sou jovem demais para Derek. E ele é como uma criança que nunca vai crescer. Anseia pelo toque de uma Madona.

Houve um longo silêncio, ao fim do qual Lenox se virou para ele de modo rápido e impulsivo.

– Mas eu ajudei mesmo, monsieur Poirot. De algum modo eu ajudei.

– Claro. Foi mademoiselle quem me fez ter o primeiro pressentimento de verdade quando disse que a pessoa que cometera o crime não precisava estar no trem. Antes disso, eu não conseguia ver como a coisa havia sido feita.

Lenox respirou fundo.

– Fico contente. Já é alguma coisa...

Vindo de longe, chegou até eles um assobio prolongado.

– É o maldito Trem Azul – disse Lenox. – Trens são coisas implacáveis, não são, monsieur Poirot? Pessoas morrem e são assassinadas, mas eles continuam assim mesmo. Estou falando bobagem, mas o senhor sabe o que quero dizer.

– Sim, sim, eu sei. A vida é como um trem, mademoiselle. Ela continua. E é bom que assim seja.

– Por quê?

– Porque uma hora o trem chega ao fim da viagem. E há um provérbio sobre isso na sua língua, mademoiselle.

– "O fim da viagem é o encontro dos amantes" – Lenox riu. – Bom, para mim isso não é verdade.

– É verdade sim. Mademoiselle é jovem, é até mais jovem do que sabe que é. Confie no trem, mademoiselle, porque é *le bon Dieu* quem o dirige.

O assobio se fez ouvir novamente.

– Confie no trem, mademoiselle – murmurou outra vez Poirot. – E confie em Hercule Poirot. *Ele sabe.*

Série Agatha Christie na Coleção L&PM POCKET

O homem do terno marrom
O segredo de Chimneys
O mistério dos sete relógios
O misterioso sr. Quin
O mistério Sittaford
O cão da morte
Por que não pediram a Evans?
O detetive Parker Pyne
É fácil matar
Hora Zero
E no final a morte
Um brinde de cianureto
Testemunha de acusação e outras histórias
A Casa Torta
Aventura em Bagdá
Um destino ignorado
A teia da aranha (com Charles Osborne)
Punição para a inocência
O Cavalo Amarelo
Noite sem fim
Passageiro para Frankfurt
A mina de ouro e outras histórias

Mistérios de Hercule Poirot

Os Quatro Grandes
O mistério do Trem Azul
A Casa do Penhasco
Treze à mesa
Assassinato no Expresso Oriente
Tragédia em três atos
Morte nas nuvens
Os crimes ABC
Morte na Mesopotâmia
Cartas na mesa
Assassinato no beco
Poirot perde uma cliente
Morte no Nilo
Encontro com a morte
O Natal de Poirot
Cipreste triste
Uma dose mortal
Morte na praia
A Mansão Hollow
Os trabalhos de Hércules
Seguindo a correnteza
A morte da sra. McGinty
Depois do funeral
Morte na rua Hickory
A extravagância do morto
Um gato entre os pombos
A aventura do pudim de Natal
A terceira moça
A noite das bruxas
Os elefantes não esquecem
Os primeiros casos de Poirot
Cai o pano: o último caso de Poirot
Poirot e o mistério da arca espanhola e
    outras histórias
Poirot sempre espera e outras histórias

Mistérios de Miss Marple

Assassinato na casa do pastor
Os treze problemas
Um corpo na biblioteca
A mão misteriosa
Convite para um homicídio
Um passe de mágica
Um punhado de centeio
Testemunha ocular do crime
A maldição do espelho
Mistério no Caribe
O caso do Hotel Bertram
Nêmesis
Um crime adormecido
Os últimos casos de Miss Marple

Mistérios de Tommy & Tuppence

O adversário secreto
Sócios no crime
M ou N?
Um pressentimento funesto
Portal do destino

Romances de Mary Westmacott

Entre dois amores
Retrato inacabado
Ausência na primavera
O conflito
Filha é filha
O fardo

Teatro

Akhenaton
Testemunha de acusação e outras peças
E não sobrou nenhum e outras peças